A Lista de Convidados

CB005409

REBECCA SERLE

A Lista de Convidados

TRADUÇÃO
Alexandre Boide

pa ra le la

Copyright © 2022 by Rebecca Serle

A Editora Paralela é uma divisão da Editora Schwarcz S.A.

Grafia atualizada segundo o Acordo Ortográfico da Língua Portuguesa de 1990, que entrou em vigor no Brasil em 2009.

TÍTULO ORIGINAL The Dinner List

CAPA E ILUSTRAÇÃO L. Horton

PREPARAÇÃO Laura Chagas

REVISÃO Marise Leal e Luciane H. Gomide

Dados Internacionais de Catalogação na Publicação (CIP)
(Câmara Brasileira do Livro, SP, Brasil)

Serle, Rebecca
A lista de convidados / Rebecca Serle; tradução Alexandre Boide. — 1ª ed. — São Paulo : Paralela, 2022.

Título original : The Dinner List.
ISBN 978-85-8439-275-9

1. Ficção norte-americana I. Título.

20-115945 CDD-813

Índice para catálogo sistemático:
1. Ficção : Literatura norte-americana 813

Cibele Maria Dias – Bibliotecária – CRB-8/9427

[2022]
Todos os direitos desta edição reservados à
EDITORA SCHWARCZ S.A.
Rua Bandeira Paulista, 702, cj. 32
04532-002 — São Paulo — SP
Telefone: (11) 3707-3500
editoraparalela.com.br
atendimentoaoleitor@editoraparalela.com.br
facebook.com/editoraparalela
instagram.com/editoraparalela
twitter.com/editoraparalela

Para a minha avó Sylvia Pesin,
que me ensinou que em primeiro lugar, meu bem,
você precisa se amar.

E para Sam — a primeira pessoa da minha lista.

How many miles to Babylon?
Three score miles and ten —
Can I get there by candlelight?
Yes, and back again —
If your feet are nimble and light
*You can get there by candlelight.**
Cantiga infantil tradicional

As estrelas que você vê à noite são
os olhos fixos de elefantes adormecidos,
que dormem com um olho aberto
para melhor olhar por nós.
Gregory Colbert, *Ashes and Snow*

* Em tradução livre: "Quantas milhas até a Babilônia?/ Três vintenas e mais dez.../ Eu consigo chegar lá ao anoitecer?/ Sim, e voltar também.../ Se os seus pés forem ágeis e leves/ Você consegue chegar lá ao anoitecer".

19h30

"Estamos esperando há uma hora." É o que a Audrey diz. Ela faz o comentário com um certo tom de irritação, quase como se estivesse praguejando. Isso é a primeira coisa que me vem à cabeça. Não *Audrey Hepburn está no meu jantar de aniversário*, e sim *Audrey Hepburn está irritada.*

Seu cabelo está mais comprido do que a lembrança que sempre tive dela. Está usando o que parece ser um terninho, mas suas pernas estão sob a mesa, então não dá para saber ao certo. A camisa é preta com colarinho creme e três botões redondos na frente. Um cardigã está pendurado no encosto da cadeira.

Dou um passo atrás. Observo as pessoas. Todas elas. Estão sentadas a uma mesa redonda bem no meio do restaurante. Audrey está de frente para a porta, com o professor Conrad à sua direita e Robert à esquerda. Tobias está de frente para Robert, com Jessica à sua esquerda, e entre os dois está minha cadeira vazia.

"Nós começamos sem você, Sabrina", diz Conrad, erguendo a taça. Seu vinho tinto tem uma cor forte; é o mesmo de Jessica. Audrey está tomando um scotch puro; Tobias, uma cerveja; Robert, nada.

"Você não vai sentar?", Tobias me pergunta. Sua voz

soa meio rouca, e fico com a impressão de que ele ainda fuma.

"Não sei", respondo. Fico surpresa com a minha capacidade de articular palavras, porque isso é loucura. Talvez eu esteja sonhando. Talvez se trate de algum tipo de colapso mental. Eu pisco. Quem sabe quando eu abrir os olhos só Jessica, que era quem eu esperava, esteja sentada à mesa. Tenho vontade de sair correndo porta afora, ou talvez ir ao banheiro, jogar água fria no rosto e tentar entender se eles estão mesmo aqui — se todos nós estamos realmente aqui.

"Por favor", ele insiste. Há um toque de desespero em sua voz.

Por favor. Antes de ele ir embora, foram essas as palavras que usei. *Por favor*. Não fizeram a menor diferença naquele dia.

Penso um pouco a respeito. Porque não sei mais o que fazer. Porque Conrad está servindo mais Merlot e não posso simplesmente ficar aqui parada.

"Isso está me deixando louca", digo. "O que está acontecendo?"

"É seu aniversário", responde Audrey.

"Eu adoro esse restaurante", diz Conrad. "Não mudou nada em vinte e cinco anos."

"Você sabia que eu estaria aqui", Jessica responde. "Só vamos ter mais gente à mesa." Fico imaginando o que ela falou quando chegou. Se ficou surpresa ou se adorou.

"Podemos tentar conversar", sugere Robert.

Tobias não diz nada. Esse sempre foi o nosso problema. Ele preferia deixar que o silêncio falasse por ele. A frustração que sinto por ele estar perto de mim acaba falando mais alto do que a minha descrença com aquela situação. Resolvo me sentar.

O restaurante está movimentado ao nosso redor, e os demais clientes não parecem se importar com o que está acontecendo entre nós. Um pai tenta acalmar uma criança pequena; um garçom serve taças de vinho. É um lugar pequeno, com no máximo uma dúzia de mesas. A entrada é adornada com vasos de hortênsias vermelhas, e um cordão de luzes de Natal enfeita a parede bem onde ela se encontra com o teto. Afinal de contas, é dezembro.

"Preciso de uma bebida", aviso.

O professor Conrad bate palmas. Lembro que ele costumava fazer isso logo antes de encerrar a aula ou de anunciar que ia passar algum trabalho importante. É seu jeito de criar expectativa. "Vim lá da Califórnia para esse grande evento, então o mínimo que você pode fazer é me contar o que anda fazendo. Não sei nem em que você acabou se formando."

"Você quer saber como está a minha vida?", pergunto.

Jessica revira os olhos do meu lado. "Comunicação social", ela responde.

O professor Conrad leva a mão ao coração, fingindo estar chocado.

"Hoje eu trabalho como editora de livros", acrescento, um tanto na defensiva. "Jessica, o que está acontecendo?"

Jessica balança a cabeça. "É o seu jantar." Minha lista. Ela sabe, claro. Estava lá quando eu a fiz. A ideia foi dela. As cinco pessoas, vivas ou mortas, que eu gostaria de convidar para um jantar.

"Você não acha que isso é loucura?", digo.

Ela toma um gole de vinho. "Um pouco. Mas coisas malucas acontecem todos os dias. Não é isso que eu sempre digo para você?"

Quando morávamos juntas, em um apartamento minúsculo na rua 21, ela deixava frases motivacionais em todo lugar. No espelho do banheiro. Na mesinha de centro da Ikea onde ficava nossa TV. Na porta. *Se preocupar é desejar uma coisa que você não quer. O homem faz planos e Deus ri.*

"Estamos todos aqui?", Robert pergunta.

Audrey olha no relógio. "Espero que sim", ela diz.

Tomo um gole de vinho. Respiro fundo.

"Sim", respondo. "Não vem mais ninguém."

Todos olham para mim. Os cinco. Seus olhares são esperançosos, cheios de expectativas. Parecem à espera de uma explicação para o motivo de estarem aqui.

Mas isso eu não posso fazer. Pelo menos não por enquanto. Então, em vez disso, abro o cardápio.

"Por que não fazemos nossos pedidos?", sugiro. E é o que fazemos.

Um

A primeira vez que vi Tobias foi em uma exposição de arte no píer de Santa Monica. Quatro anos depois, nós nos apresentamos um para o outro em um vagão de metrô parado embaixo da rua 14, e em nosso primeiro encontro atravessamos a ponte do Brooklyn. Nossa história terminou exatamente uma década depois de começar. Mas, como costumam dizer, é mais fácil identificar o começo das coisas do que o fim.

Eu estava no segundo ano de faculdade. Cursava a disciplina de filosofia dada por Conrad. Uma parte do curso consistia em uma excursão semanal organizada pelos estudantes em um esquema de rodízio. Um aluno nos levou até o letreiro de Hollywood, outro para uma casa abandonada na Mulholland Drive projetada por um arquiteto famoso de quem eu nunca tinha ouvido falar. Não sei bem qual era o sentido daquilo, além de que Conrad gostava de sair da sala de aula e não escondia isso de ninguém. "Não é aqui que o aprendizado acontece", ele dizia.

Para o meu passeio, escolhi a exposição de arte *Ashes and Snow*. Tinha ouvido falar dela por uns amigos que foram visitá-la no fim de semana anterior. Em duas tendas gigantes erguidas na praia, perto do píer de Santa Monica, o artista

Gregory Colbert estava exibindo sua obra — fotografias lindas e enormes de seres humanos vivendo em harmonia com a vida selvagem. Havia um outdoor enorme na Sunset Boulevard que ficou por lá durante todo o ano de 2006 — uma criança lendo para um elefante ajoelhado.

Foi na semana anterior ao Dia de Ação de Graças. Eu voltaria para a Filadélfia no dia seguinte para passar o feriado com a família da minha mãe, que estava querendo voltar para a Costa Leste, onde tinha nascido. Morávamos na Califórnia desde que eu tinha seis anos, logo depois de meu pai ter ido embora.

Eu estava confusa. Lembro de ter me xingado por ter me metido a organizar aquela excursão mesmo sabendo que tinha várias outras coisas para fazer. Estava brigada com Anthony — meu namorado estudante de administração, com quem eu vivia terminando e voltando, e que raramente saía da casa de fraternidade onde morava, a não ser para ir a festas com o tema "volta ao mundo", em que a única viagem envolvida era ir até o banheiro depois de misturar bebidas demais. Todo nosso relacionamento não passava de uma ficção, composta na maior parte de mensagens de texto e noites de bebedeira que por algum motivo interpretávamos como um sinal de que estávamos juntos. Na verdade, era só para matar o tempo. Ele era dois anos mais velho, um aluno do último ano com um emprego engatilhado no mercado financeiro em Nova York depois da formatura. Cheguei a pensar, vagamente, se aquele nosso teatro algum dia evoluiria para uma brincadeira de casinha, o que obviamente nunca rolou.

Ashes and Snow era uma instalação fantástica. O espaço interno da exposição era dramático e ao mesmo tempo sereno — como fazer ioga na beira de um precipício.

Nosso grupo de estudantes se dispersou rapidinho — todos impressionados com a escala da coisa. Uma criança beijando um leão, um garotinho dormindo com um lince, um homem nadando com baleias. E foi então que eu o vi. Parado diante de uma fotografia de que só consigo me lembrar com um aperto tão forte no peito que me faz perder o fôlego. A foto era de um menininho, olhos fechados, com uma águia de asas abertas bem atrás dele.

Fiquei imediatamente boquiaberta. Com as fotografias, com a imagem em si e com o rapaz. O que estava fora da foto. Cabelos castanhos bagunçadinhos. Calça jeans soltas na cintura. Duas camisetas marrons, uma por cima da outra, como se fossem camadas de terra. Não vi seus olhos logo de cara. Ainda não sabia que eram de um tom de verde deslumbrante, como pedras preciosas, e tão penetrantes que pareciam capazes de me atravessar.

Fiquei parada perto dele. Não nos olhamos. Durante alguns minutos. Cinco, talvez mais. Eu nem sabia ao certo no que estava prestando atenção — nele ou no menino da foto. Mas senti uma corrente de energia entre nós; a areia começou a se agitar ao nosso redor como se também estivesse carregada de eletricidade. Tudo parecia convergir. Por um momento lindo e sublime, era como se não houvesse separação entre nós.

"Já é a quarta vez que venho", ele me falou, sem desviar os olhos. "E nunca quero sair daqui."

"É lindo", respondi.

"A exposição inteira é incrível."

"Você é estudante?", perguntei.

"Hum-hum", ele disse, se virando para mim. "Da UCLA."

"Sou da USC", contei, dando um tapinha no meu peito.

Se ele fosse um tipo de cara — digamos, como o Anthony —, teria feito uma careta. Ou algum comentário sobre a famosa rivalidade entre as universidades. Mas não sei nem se ele conhecia esse ritual de que supostamente deveríamos participar — a antipatia dos Trojans pelos Bruins.

"Você estuda o quê?", perguntei.

Ele apontou para a tela. "Sou fotógrafo."

"De que tipo?"

"Ainda não sei. No momento minha especialidade é ser meia-boca em todos os estilos."

Ele riu, e eu também. "Duvido."

"Por quê?"

"Sei lá", respondi. Olhei de novo para a foto. "Eu duvido, só isso."

Um grupo de garotas mais novas passou perto, espichando os olhos para ele. Quando eu me virei, elas deram risadinhas e se afastaram. Achei perfeitamente compreensível — ele era lindo.

"E você?", ele quis saber. "Deixa eu adivinhar. Artes cênicas."

"Aham. Até parece. Comunicação social."

"Cheguei perto." Ele apontou na direção do meu peito. Tive vontade de agarrar seu dedo. "Enfim, é uma boa habilidade para cultivar."

A coisa mais importante na comunicação é ouvir aquilo que não é dito.

"É o que a minha mãe sempre diz."

Nesse momento ele se virou, e seus olhos se abriram para os meus. Esse é o único jeito que encontrei de descrever o que aconteceu. Foi como se uma chave tivesse entrado em uma fechadura. A porta simplesmente se escancarou.

O vento ficou mais forte, e meu cabelo começou a esvoaçar. Era mais comprido na época, muito mais do que hoje. Tentei segurar os fios rebeldes, mas era como tentar capturar uma borboleta. Eles continuavam escapando das minhas mãos.

"Você está parecendo um leão", ele comentou. "Queria estar com a minha câmera agora."

"Está comprido demais", falei. Comecei a ficar vermelha. Torci para que meu cabelo estivesse disfarçando isso.

Ele apenas sorriu para mim. "Preciso ir", falou. "Mas agora não quero mais."

Vi Conrad atrás dele, palestrando para algumas pessoas do nosso grupo perto da fotografia de uma girafa que parecia ser quase em tamanho real. Meu professor fez um sinal para que eu me juntasse a eles. "Eu também", falei. "Quer dizer, eu também não."

Eu queria falar mais, ou que ele falasse mais. Fiquei lá parada, esperando que ele pedisse o meu telefone. Ou perguntasse alguma coisa sobre mim. Mas não foi o que aconteceu. Ele se despediu com um tchauzinho, foi andando na direção de Conrad e saiu da tenda. Não me disse nem o nome.

Quando voltei para o campus, Jessica estava no nosso dormitório. Nós éramos as únicas segundanistas da USC que ainda moravam nos alojamentos estudantis. Mas era a opção mais barata, e nenhuma das duas tinha grana para se mudar. Não éramos riquinhas de Orange County, ou de Beverly Hills, como muitos dos nossos colegas.

Na época, Jessica tinha cabelos castanhos bem compridos, óculos de armação grande e usava uns vestidos longos e largos até mesmo no inverno. Apesar de a temperatura em Los Angeles nunca ficar abaixo de dez graus.

"Como foi a exposição?", ela quis saber. "Quer ir até a Pi Kapp hoje? Sumir falou que vai rolar uma festa lá com tema de praia, mas a gente não precisa ir vestida a caráter."

Larguei minha bolsa e desabei na poltrona da sala. Não havia espaço suficiente para um sofá. Jessica estava no chão.

"Pode ser", falei.

"Chama o Anthony", ela sugeriu, levantando para desligar a chaleira.

"Acho que não quero mais ficar com ele", respondi.

Pude ouvi-la despejando a água quente e abrindo a embalagem de um saquinho de chá. "Como assim, você *acha*?"

Comecei a mexer na bainha no meu short jeans. "Tinha um cara hoje lá na exposição."

Jessica voltou com uma caneca fumegante na mão e me ofereceu um gole. Fiz que não com a cabeça. "Me conta", ela disse. "É da sua classe?"

"Não, ele só estava lá."

"Qual é o lance dele?"

"Ele é fotógrafo. Estuda na UCLA."

Jessica assoprou o chá e voltou a sentar no chão. "Então você vai sair com ele?"

"Não", respondi. "Nem sei o nome dele."

Jessica franziu a testa. Ela teve um único namorado a vida toda — Sumir Bedi, o homem que em poucos anos se tornaria seu marido. O relacionamento dos dois não me parecia muito romântico; até hoje não me parece. Eles moraram no mesmo bloco de dormitórios no primeiro ano de faculdade. Sumir a convidou para ir à fraternidade dele, ela topou, e os dois começaram a sair. Um ano depois, fizeram sexo. Foi a primeira vez de ambos. Ela não se derretia toda ao falar do namorado, mas eles também quase nunca brigavam. Eu achava que era porque nenhum dos dois era muito de beber. Só que ela era uma pessoa romântica, e mais do que interessada na minha vida amorosa. Queria saber cada detalhe. Às vezes eu até floreava um pouco as situações só para ter mais coisas para contar.

"Eu só acho que não estou mais a fim de ficar com o Anthony." Como explicar o que havia acontecido? Que de um momento para o outro eu tinha entregado meu coração a um estranho que provavelmente nunca mais veria?

Ela pôs a caneca de chá sobre a mesa de centro. "Tudo bem", falou. "Vamos ter que procurar esse outro cara, então."

Meu coração se derreteu de afeto por ela. Jessica era assim — não precisava saber como, só por quê. "Você está maluca", respondi. Fiquei de pé e olhei pela janela do 22º andar, onde ficava nosso apartamento. Lá fora, os alunos circulavam pelo campus como soldadinhos de chumbo em uma missão. Tudo parecia extremamente ordeiro e deliberado visto de cima. "Ele não é nem da USC. É impossível."

"Que tal ter um pouco mais de fé?", ela falou. "Seu problema é que você não acredita no destino."

Jessica vinha de uma família conservadora do Michigan. Fui acompanhando sua evolução pouco a pouco, de uma cristã do Meio-Oeste para uma completa hippie liberal e, por fim — vários anos depois, uma conservadora padrão da Costa Leste.

Uma semana antes, ela havia aparecido com uma pilha de revistas, papéis e lápis de cor. "Vamos fazer um quadro dos sonhos", ela anunciou.

Olhei para tudo aquilo e voltei para o livro que estava lendo. "Não, obrigada."

Jessica estava frequentando um curso sobre espiritualidade — uma espécie de imitação da técnica "desperte seu poder interior" do Tony Robbins, conduzido por uma mulher com um nome hindu que ela mesma se atribuiu.

"Você não fez nenhum exercício comigo", Jessica reclamou, se jogando sobre uma almofada no chão.

Olhei bem para ela. "Não tem nada com um pouco menos de glitter?"

Os olhos dela se iluminaram. "Swami pediu para fazermos uma lista de cinco pessoas vivas ou mortas que gostaríamos de convidar para um jantar." Ela remexeu na sacola de compras e pegou um bloquinho de Post-it amarelo. "Não tem glitter."

"Isso vai deixar você contente?", perguntei, fechando o livro resignada.

"Por mais ou menos uma hora", respondeu, mas dava para ver o brilho em seus olhos. Eu nunca tinha aceitado nada do tipo antes, apesar de ela me convidar o tempo todo.

Ela começou a falar sem parar. Sobre o exercício, o significado, que o jantar ficcional era uma forma de reconhecer partes de nós com as quais precisávamos nos reconciliar — e blá-blá-blá. Eu nem estava prestando muita atenção, na verdade; simplesmente comecei a escrever.

Os primeiros nomes foram fáceis: Audrey Hepburn, porque eu era uma menina de dezenove anos. Platão, porque eu tinha lido *A República* quatro vezes desde o ensino médio e era vidrada pelo livro — e porque o professor Conrad vivia mencionando a contribuição dele para a filosofia. O nome de Robert eu anotei quase sem pensar. Assim que o vi no papel, pensei em riscar, mas não risquei. Ele ainda era meu pai, apesar de eu mal me lembrar de tê-lo conhecido.

Faltavam duas pessoas.

Eu adorava minha avó materna. Ela se chamava Sylvia e tinha morrido no ano anterior. Eu sentia muita saudade dela. Escrevi seu nome. Não conseguia pensar no quinto.

Olhei para Jessica, que estava concentrada, fazendo uma lista em um pedaço enorme de papel vegetal com lápis vermelho e dourado.

Entreguei meu bilhetinho para ela, que olhou, assentiu e me devolveu. Eu guardei no bolso e voltei a ler meu livro. Ela pareceu satisfeita.

Mas não em relação a Tobias. "E eu acredito em destino", falei. Antes eu não acreditava, mas àquela altura, sim. Era difícil explicar. Como foi que conceitos tão grandiosos sobre a vida e o amor se solidificaram dentro de mim depois de ficar só dez minutos ao lado dele? "Eu não devia ter falado nada. Foi uma bobagem. Coisa de momento."

Mas foi um momento que eu queria que se prolongasse, e nós saímos à procura dele. Não o encontramos na internet (a busca por "olhos verdes" e "UCLA" no Facebook não teve resultados interessantes, e alguma coisa me dizia que ele não era do tipo que usava redes sociais), então fomos até o campus da universidade dele com o Corolla do Sumir, que não passava muito dos sessenta por hora nem na via expressa.

"O que você vai querer fazer quando a gente chegar lá?", perguntei a Jessica. "Começar a gritar 'menino do cabelo castanho' aos quatro ventos?"

"Relaxa", ela me falou. "*Eu* não vou gritar nada."

Ela estacionou em Westwood e fomos andando até a entrada norte do campus, onde estavam as casas das fraternidades e os alojamentos dos estudantes. Ficavam em ruas arborizadas que davam na Sunset Boulevard e chegavam até as impecáveis colinas de Bel Air. Fui andando atrás de Jessica, grata por ser um dia de sol e ter bastante gente por lá, e porque não chamávamos atenção.

"Sei que não deveria falar isso", comentei. "Mas a UCLA é bem mais legal que a USC."

"Só em termos de localização", Jessica respondeu. Ela parou na frente de um quadro de avisos do lado de fora de um dos prédios do campus — seria a biblioteca? Eu não tinha como saber.

"A-ha", ela exclamou. "Bem o que eu esperava."

Olhei mais de perto. Era o quadro das atividades extracurriculares. Clube de Gastronomia, Clube de Poesia. Fui seguindo o dedo de Jessica. Ela bateu de leve em um folheto amarelo. "Clube de Fotografia", li em voz alta.

Jessica sorriu. "De nada."

"Estou impressionada", comentei. "Mas isso não quer dizer nada. Ele nem deve fazer parte disso. Não parece ser do tipo que curte essas panelinhas. E o que a gente ia fazer, entrar de penetra na reunião?"

Jessica revirou os olhos. "Apesar de eu achar essa sua negatividade um charme, diz aqui que eles vão fazer um evento aberto na terça que vem, então você pode aparecer lá."

Fiz que não com a cabeça. "Se ele estiver lá, vai achar que eu sou louca."

Jessica encolheu os ombros. "Ou vocês serão felizes para sempre."

"Ah, sim", falei. "Uma das duas coisas." Mas também senti a empolgação crescer dentro de mim. E se eu o visse de novo? O que eu iria dizer?

Nesse momento, meu estômago roncou.

"Quer passar no In-N-Out?", Jessica sugeriu.

"Com certeza."

Começamos a andar de volta até o carro, mas antes disso peguei o folheto e o enfiei na bolsa.

"Eu não vi nada", Jessica disse, enlaçando seu braço no meu.

Quando voltamos para casa, peguei o Post-it e acrescentei a quinta pessoa. *Ele.*

19h45

"Alguém mais gosta de carpa?", Conrad pergunta. Ainda não pedimos nada, porque não conseguimos chegar a um acordo sobre o que fazer. Conrad está insistindo em dividir os pratos, Robert quer que cada um peça o seu, Audrey não gostou de nada no menu e Jessica e Tobias já comeram duas cestas de pão. Fico irritada com o fato de ele ainda ter apetite.

"Continuo amamentando", Jessica fala para ninguém em particular. "Preciso de carboidratos."

O garçom se aproxima pela segunda vez, e resolvo tomar uma atitude. "Vou querer a salada de alface frisée e um risoto", digo, lançando um olhar para Conrad, que assente com a cabeça.

"Vieiras", ele pede. "E alguns daqueles afrodisíacos."

O garçom parece confuso. Ele abre a boca para responder, mas logo desiste.

"Ostras", explica Audrey, com cansaço na voz. "Vou querer o mesmo, e a salada de alface frisée."

O professor Conrad a cutuca com o cotovelo. "Audrey, nunca imaginei", ele comenta.

Ela não acha a menor graça. Ainda está irritada.

Enquanto todo mundo faz seus pedidos — massa e sopa para Jessica, filé e salada para Robert —, percebo que não planejei a coisa direito. Quando escolhi essas cinco pessoas para minha lista, estava pensando só em mim. Como eu me sentia em relação a cada um, e os desejos conflitantes de estar na presença deles. Não pensei em como eles se sentiriam estando todos *juntos*.

Arrisco uma olhada para a esquerda, para Tobias. Já sei o que ele vai pedir. Desde o momento em que abri o cardápio. Faço isso às vezes, quando vou a um restaurante. Dou uma olhada no menu e escolho o que ele iria querer. Sei que vai pedir hambúrguer e batatas fritas, com mostarda extra. E salada de beterraba. Tobias adora beterraba. Foi vegetariano por um tempo, mas acabou desistindo.

"O crudo de peixe e as vieiras", ele pede.

Viro a cabeça subitamente em sua direção. Ele encolhe os ombros. "O hambúrguer também parece bom", diz. "Mas acabei de comer um monte de pão."

Tobias tinha umas preocupações meio estranhas com a saúde. Às vezes eu achava que era obcecado em se manter magro — talvez porque assim ficava parecendo um desses artistas que passam fome? Ele não malhava, não corria, mas pulava algumas refeições ou aparecia do nada com uma máquina de fazer sucos e anunciava que não comeria mais nenhum alimento processado. E era um excelente cozinheiro. O crudo de peixe. Eu devia ter imaginado.

O garçom recolhe os cardápios, e então Audrey se inclina para a frente. Pela primeira vez, vejo algumas rugas ao redor de seus olhos. Ela deve estar chegando aos cinquenta.

"Eu tive algumas ideias para conversarmos", Audrey me diz. Ela fala com aquela sua voz grave e sussurrada que conheço tão bem. É delicadíssima, tão feminina que chega a doer, e sinto uma pontada de arrependimento por colocá-la nesta mesa conosco. Ela não deveria estar aqui; é um desperdício de seu tempo.

"Nós não precisamos de nada disso", Conrad desdenha. "Só precisamos de vinho e de um tema."

"Um tema?", questiona Robert, erguendo os olhos do copo d'água. É um homem miúdo, baixo. Mesmo sentado é possível perceber. Minha mãe era uns cinco centímetros mais alta que ele. Sempre me considerei uma mistura dos dois, levando em conta uma velha pilha de fotografias, mas olhando bem para ele agora percebo a quem puxei.

Temos os mesmos olhos verdes, o mesmo nariz comprido, o mesmo sorriso torto e os mesmos cabelos cacheados, de um tom de castanho-avermelhado. Ele não fez faculdade, assim como o restante de sua família. Teve tuberculose aos dezenove anos e passou um ano e meio no hospital. Confinamento solitário. Sua própria mãe só podia vê-lo através de uma parede de vidro.

Minha mãe me contou isso muitos anos depois. Muitos anos depois de Robert ter ido embora, quando ele já tinha morrido e não havia mais como procurá-lo para descobrir as coisas por mim mesma. Não sei se a intenção dela era torná-lo mais humano ou fazê-lo parecer ainda mais incompreensível, abstrato — inalcançável. Também nunca soube se ela continuou a amá-lo. Até hoje não sei.

"Um tema!", repete Conrad. "Vamos eleger um tema."

"Serviços sociais", sugere Audrey.

Conrad assente com a cabeça, sacando um caderninho e uma caneta do bolso da camisa. Ele tem sempre um papel à mão, para o caso de surgir uma inspiração. Até no meio das aulas tinha o costume de se interromper para fazer anotações.

"Julie!", continua Conrad. "Sua vez."

Jessica o encara ainda com um pedaço de baguete na boca. "É *Jessica*", retruca.

"Sim, Jessica, é claro."

"*Família*", ela responde com um suspiro. "Mas não acho que seja essa a questão aqui."

"Responsabilidade", acrescenta Robert. Eu tento conter o riso, sem sucesso. Responsabilidade. Que absurdo.

É a vez de Tobias. Ele se recosta na cadeira e entrelaça os dedos atrás da cabeça. "Amor", anuncia, com a maior simplicidade do mundo. Como se fosse óbvio. Como se fosse a única resposta possível.

Mas não é, claro que não. Se fosse, eu não precisaria dele neste jantar. Se isso fosse verdade, ainda estaríamos juntos.

Eu pigarreio antes de falar. "História", digo, como um contraponto.

Conrad assente. Audrey dá um gole em sua bebida. Jessica para de mastigar.

"Nós já passamos por isso", ela diz, olhando feio para mim e para Tobias. "Vocês não podem continuar vivendo no passado."

Entregue nas mãos de Deus.

"Às vezes é impossível seguir adiante sem entender o que aconteceu", rebate Conrad.

"O que aconteceu?", pergunta Audrey.

Mantenho os olhos voltados para a mesa, mas sinto os dele sobre mim. Queria que ele estivesse sentado onde Conrad está. Não queria ter que sentir seu cheiro — denso e inebriante — nem seu pé sob a mesa, tão próximo que, se eu quisesse, poderia encostar no meu.

"Tudo", respondo depois de um tempo. "Aconteceu de tudo."

"Muito bem", diz Conrad. "Vamos começar daí."

Dois

Duas semanas depois da nossa incursão à UCLA, eu estava na sala do professor Conrad tentando melhorar para um C- a nota que eu tinha tirado em uma prova dissertativa na qual fui um fiasco total. Eu estava indo muito mal na disciplina dele. Não conseguia ter um desempenho decente. Não que estivesse me esforçando muito. Na verdade, todas as minhas notas estavam caindo. Eu não tinha nenhum motivo específico para ir mal, só estava cansada das aulas, dos trabalhos, das palestras e das provas. Não queria mais saber daquilo. E o drama que estava vivendo com Anthony também não ajudava em nada.

"Talvez você tenha escolhido o curso errado", Jessica me falou, mas era tarde demais para trocar. Se mudasse, seriam mais três anos de estudos, o que não era uma opção — nem em termos financeiros nem em qualquer outro.

"Vocês estão acostumados demais com a ideia de que os resultados não importam", Conrad falou. "Na minha aula, não é assim que funciona."

"Por favor." Eu estava quase chorando. "Não posso fazer um trabalho extra?"

"Eu não passo trabalhos extras."

"Eu não posso tirar um D."

"Pode sim", ele respondeu. "Tanto é que tirou."

Senti um nó no estômago. "Desculpa", murmurei.

Conrad pôs a mão no meu ombro. Foi um gesto paternal. Eu não estava habituada a isso. "Você pode ir melhor na próxima e aumentar sua média", ele explicou. "Essa não é sua nota final."

Juntei minhas coisas e saí da sala — indignada, nervosa, aborrecida. Olhei no relógio. Se saísse naquela hora, chegaria ao campus da UCLA às sete. O folheto amarelo amassado no fundo da minha sacola de livros avisava que o evento só começaria às sete.

Liguei para Jessica. "Preciso estudar", ela falou. "Mas o Sumir está na aula, e a chave do carro dele está comigo."

"Me encontra aqui embaixo."

O trânsito estava carregado na rodovia 405. Fiquei mudando de estação no rádio, alternando entre a 98.7 e a NPR, que estava transmitindo um especial sobre os protocolos da Nasa. O convidado era alguém que tinha acabado de voltar do espaço. "O que mais me impressionou", ele falou, "é que em determinado parâmetro de medida o universo na verdade é finito. Como conseguir assimilar o fim do sem-fim?"

Voltei para a música da Britney Spears.

O folheto dizia que o evento seria no Teatro Billy Wilder. Pedi informações para um segurança quando cheguei à UCLA e depois de errar o caminho algumas vezes acabei encontrando um bom lugar para estacionar na rua. Meu relógio marcava 18h57. Bem a tempo.

Meu coração começou a bater mais forte quando cheguei à calçada e subi os degraus que levavam ao teatro. E se ele estivesse mesmo lá? O que eu diria? Como explicaria minha presença? Fingiria surpresa. *Uma amiga me recomendou que eu viesse*. Não era exatamente mentira. E havia o risco de ele nem me reconhecer.

Encontrei um brilho labial na minha bolsa. Passei na boca, respirei fundo e abri a porta.

A exposição estava montada no palco. As fotografias estavam penduradas em divisórias, e o pessoal circulava pelos corredores com copos de plástico com vinho branco. Cheguei mais perto do palco. Por enquanto, nada dele.

"Você é uma das artistas?", perguntou uma garota com o cabelo preso em uma trança comprida. Ela usava uma calça boca de sino e uma bata que eu já tinha visto na Forever 21. Jessica tinha experimentado uma idêntica no fim de semana anterior no Beverly Center.

Senti como se ela suspeitasse de mim. "Não", falei. "Só estou olhando mesmo."

A garota assentiu e tomou um gole de vinho.

"E você?"

"Minhas coisas estão ali." Ela apontou para uma divisória no canto esquerdo do palco. Eu vi cores. Toneladas de cores.

"Tudo bem se eu for dar uma olhada?"

"Desde que não me peça para ir com você. Minha produção fala por si melhor do que eu."

Me afastei dela e subi no palco. Dei uma olhada rápida ao redor. Nada. Nos corredores também não. O público não era muito numeroso, umas trinta pessoas no total. Pensei em ir embora, mas minha nova amiga estava de olho em mim, então decidi dar uma conferida no trabalho dela.

Só que outra coisa chamou minha atenção no caminho. Era uma fotografia de um homem. Parecia pertencer a um grupo étnico distante. Do Marrocos, talvez. Retratado da cintura para cima, fumando um charuto, baforando a fumaça no ar. Os olhos, de um tom acinzentado, estavam bem abertos, e as linhas de expressão em seu rosto pareciam marcas de giz talhadas em uma lousa.

Eu sabia que era dele. Não sabia explicar como, mas tinha certeza.

"Com licença", falei para um garoto de calça jeans caída e boné que estava parado ao lado da divisória. "De quem é esse trabalho?"

Ele deu de ombros e apontou para uma placa no meio da parede. TOBIAS SALTMAN. Ao lado, um retrato do cara de *Ashes and Snow*. Eu estava certa.

Senti as veias do meu pescoço saltarem. "Ele está por aqui?", perguntei.

O garoto estreitou os olhos para mim. "Acho que não", disse.

"Tem alguém que pode saber?"

Ele olhou para os corredores e apontou com a cabeça na direção da garota com quem eu havia acabado de conversar. "Pergunta para a namorada dele."

Calor. Foi isso que eu senti. Constrangimento e vergonha. Claro que ele tinha namorada. Estava na cara, e era uma idiotice achar que não. Eu queria sumir dali o quanto antes.

Até que vi o número ao lado da foto: setenta e cinco dólares. Estava em promoção.

Eu não tinha esse dinheiro. Só restavam quarenta e nove dólares na minha conta-corrente e talvez uns duzentos na poupança.

Mas eu sabia que precisaria comprar mesmo assim. Aquele retrato era meu.

Remexi a bolsa à procura do meu talão de cheques. Por um golpe de sorte, estava lá.

"Como faço para comprar uma fotografia?", perguntei

para uma garota que estava ao lado de várias imagens de girassóis. “Posso pagar com cheque?”

“A Jenkins ajuda você.” Ela apontou para uma jovem de calça jeans, blusinha de brocado e cabelo curtinho e repicado, encostada na parede mais distante do palco, conversando e gesticulando sem parar. Fui até lá.

“Eu gostaria de comprar aquela fotografia”, falei, apontando para o retrato feito por Tobias.

“Claro”, disse ela, se desencostando da parede. “O trabalho dele é bem legal, né?”

Fiz que sim com a cabeça.

“Acho que é a primeira venda dele. Pena que ele não está aqui.”

Paguei, decidida a arrumar o dinheiro de algum jeito para pôr na conta, porque o cheque não poderia voltar de jeito nenhum, e ela embalou a foto para mim — com papel pardo e barbante, sem fita adesiva. “Merda”, ela praguejou. “Esqueci de comprar. Essa é nossa primeira venda.”

Acenei para a namorada dele na saída. Ela sorriu, revelando um espaço entre os dentes da frente. Isso fez com que meu afeto por ele crescesse ainda mais.

Acomodei a foto no banco do passageiro e voltei à USC. Quando cheguei ao nosso dormitório, Jessica não estava lá. Eu sabia que não ia pendurar a foto na parede. Mais tarde, quando ela perguntou, falei que ele não estava lá, que não devia fazer parte do clube.

“Pelo menos você tentou”, ela disse.

Deixei a fotografia enfiada debaixo da cama, ainda no embrulho de papel pardo, pelos dois anos seguintes. Às vezes, durante a noite, eu a desembrulhava e segurava como se fosse uma coisa que eu tivesse roubado.

19h52

"História", diz Conrad, batucando com a caneta na mesa. "É uma escolha interessante."

"Eu fui professor de história", diz Robert.

"Sério?", pergunto.

Robert está com os olhos voltados para seu copo de água. "Por dez anos", ele conta.

Conrad bate palmas. "Que maravilha!", exclama. "Vai fundo. Você pode começar a conversa."

"Deveríamos escolher um foco", sugere Audrey. "História de que época? Das Américas? Da Europa? É um assunto amplo demais."

"Histórias pessoais", diz Tobias ao meu lado. É como se tivesse falado pela primeira vez desde que cheguei, embora eu saiba que não; nós conversamos sobre o crudo de peixe, e ele sugeriu o amor como tema.

Fecho os olhos, mas em seguida abro de novo. Uma coisa por vez. "Onde?", pergunto para Robert.

"Sherman Oaks", ele responde.

"Na Califórnia."

Ele assente. "Minha mulher..."

"Não." Eu o interrompo. Não quero ouvir falar da mulher dele. Nem dos filhos. Nem da outra vida que levava.

"A gente morava em Fresno", digo. "Minha mãe só voltou para a Filadélfia dez anos atrás. Durante todo esse tempo..."

"Eu não sabia", Robert diz.

"Tá", eu retruco. "Mas também nunca pensou em aparecer para ver como a gente estava, ou pelo menos ter notícias? Nunca achou que talvez a gente merecesse participar um pouco da sua vida nova?"

Audrey abre um sorriso e se inclina para a frente. "Amigos", diz. "Vamos manter a civilidade."

"Por quê?", pergunto. Sinto meus olhos faiscando, mas, quando vejo os olhos castanhos e gentis dela, consigo me controlar um pouco melhor.

"Porque ainda nem chegaram nossas entradas", ela explica. "E ainda temos um bom tempo pela frente."

"Só fiquei sabendo da sua morte seis meses depois", comento. "*Seis* meses."

"Eu tive o que mereci", ele responde.

"Não diga isso", intervém Tobias. Ele olha para Robert com um misto de benevolência e certa intensidade que não sei o que significa, e percebo, como já aconteceu uma porção de vezes antes, que não sei o que ele quer dizer. Não entendo se ele está demonstrando solidariedade ou me desafiando.

"Vejam só", Jessica diz. "Comida."

Três garçons aparecem com nossas entradas. Imediatamente me arrependo de ter pedido a salada. Parece uma obra de arte moderna. Uns brotinhos de verdura e umas lascas de parmesão. Será que Tobias vai me dar um pouco do seu crudo de peixe? Ele costumava fazer isso — pôr comida no meu prato sem que eu precisasse pedir.

"Eu gostaria muito de explicar o que aconteceu", diz Robert depois que as entradas de todos foram servidas.

"O tema ainda é história", comenta Conrad. "Então acho que tudo bem."

Lanço um olhar para o outro lado da mesa, e ele levanta as sobrancelhas para mim. "Que foi?", pergunta. "É isso ou ficar falando sobre o tempo."

Eu balanço a cabeça. Não é um sim nem um não — é uma rendição.

"Vá em frente", pede Audrey. "Estamos escutando."

"Eu nunca tive a chance de me despedir", ele começa. "Ela me expulsou de casa. Sua mãe não me queria de volta."

"Você era um bêbado", retruco.

Pego um pedacinho de verdura do meu prato e levo à boca. Tem gosto de areia.

"Era mesmo", ele diz. "Marcie queria outro bebê. Queria uma vida que eu não poderia dar a ela."

"Então você foi lá e deu tudo isso a outra pessoa?"

"Eu fui buscar ajuda", explica Robert.

"Isso é bom", interrompe Conrad. "Um homem deve ser reconhecido pela sua capacidade de crescimento."

A vida é crescimento. Se você para de crescer, é o mesmo que estar morto.

"Nem toda mudança significa crescimento", Audrey comenta. Olho para ela. E sinto vontade de agradecer.

"Eu discordo." Quem diz isso é Tobias. "Só o simples ato de se arriscar, de *mudar*, é por definição uma evolução. E, quando evoluímos, nós crescemos. Essa é a grande questão."

"A grande questão do quê?", pergunto.

"Da existência humana", complementa Jessica ao meu lado. Ela leva uma colherada de bisque de tomate à boca e começa a abanar a mão perto dos lábios porque a sopa está muito quente.

Lanço um olhar cansado em sua direção. Às vezes eu só queria que ela ficasse do meu lado, sem questionamentos.

"Não estou dizendo que o que fiz foi certo", continua Robert. "Mas era necessário. Era a única saída. Eu precisava ir embora."

"Necessidade", Conrad repete. E só.

"Eu tinha cinco anos", retruco.

"Eu precisava de ajuda. E, na situação em que estava, não tinha como mudar as coisas. Não foi culpa da sua mãe. É que... não deu certo, só isso."

"E mais tarde?", pergunto. "E depois disso? Por que você não voltou quando estava melhor?"

"Porque... foi quando eu a conheci. E aí fiquei com medo."

Ninguém pergunta do quê. Nós sabemos. De perder a nova vida. A saúde. De ter que abrir mão *dela*. O que ele já havia perdido não fazia mais diferença.

"Isso vai exigir bem mais do que um jantar", digo.

"Mas, Sabrina", responde Robert, olhando diretamente para mim pela primeira vez desde que cheguei. "Nós só temos um jantar."

Três

Estávamos parados no túnel do metrô. Tenho um medo terrível de espaços confinados desde os cinco anos, quando fiquei presa no armário embaixo da pia. Foi um dia com a babá que deu errado — não por culpa dela, uma porta que emperrou no meio de uma brincadeira de esconde-esconde. Só aconteceu uma vez, mas foi o suficiente.

Tentei usar todas as táticas que eu conhecia. Respirar fundo. Desbloquear as vias aéreas. Manter uma postura bem reta. Não deixar os pensamentos saírem do controle. Me concentrar na respiração. Entender que é apenas uma sensação ruim, e que na verdade eu estava sã e salva.

Isso vai passar.

"Está tudo bem?"

Só tinha quatro pessoas no vagão. Graças a Deus. Apesar de ainda ser bem cedo e de eu não ter nem tomado meu café, reparei nele quando entrou. Quase derrubei minha sacola de pano. De início, pensei que não fosse possível, mas ele era inconfundível. O cabelo bagunçado, a calça jeans rasgada, a barba por fazer. A exposição *Ashes and Snow* em Los Angeles tinha sido quatro anos antes, estávamos do outro lado do país, em Nova York, e a sensação que tive foi de que eu finalmente tinha chegado aonde devia estar.

A vida em Nova York não era nada ruim. Eu morava com Jessica, e nossos colegas de faculdade, David e Ellie, estavam na cidade também. David, que trabalhava como executivo no mercado financeiro, só se envolvia com homens mais velhos, poderosos e inacessíveis. Era um dos três únicos homens negros contratados pelo grupo Goldman naquele ano, o que ele dizia ser uma vantagem. David sempre se destacava e conseguia o que queria — e isso valia também para suas conquistas amorosas na cidade. Ellie estava sempre solteira e fazia a assessoria de imprensa de uma designer de joias famosa. A gente saía bastante com eles, para peças da off-off-Broadway que em geral eram uma porcaria mas só custavam vinte dólares. Eu tinha me graduado. Era assistente de uma estilista que vinha planejando relançar a carreira com tudo. Ela tinha se mantido relevante desde o fim da década de 1990, mas estava lançando uma nova linha de roupas de banho que a colocaria de volta no mapa.

Seu sucesso viria um ano depois de eu deixar o emprego, meu timing espetacular como sempre, mas naquela época nós trabalhávamos nos fundos de uma loja abarrotada de mercadorias no norte de Manhattan. Eu não estava nem um pouco ansiosa para passar oito horas naquele lugar escuro e abafado.

Mas também não queria ficar o dia todo presa no metrô.

"Estou bem", respondi.

Olhei para ele esperando ser reconhecida, mas não vi nenhum sinal disso em seu rosto. Ele estava apoiado em uma das hastes de metal.

"O tempo médio que um trem fica parado é de três minutos e trinta e cinco segundos." Ele olhou o celular. "Acho que ainda faltam dois. Você aguenta dois minutos?"

Não entendi se ele estava sendo sarcástico ou não. Isso

era um problema recorrente entre nós. Eu queria sinceridade, mas não daquele tipo. Não daquele jeito tão escancarado.

Encolhi os ombros e apontei para o assento vazio ao meu lado. Sempre imaginei que, quando o visse de novo, ele também saberia. Que ele diria: *É você*, e tudo começaria a partir daí.

Ele se sentou. "Você mora aqui?', quis saber.

"Não exatamente", respondi. Ele não demonstrou nenhuma reação. "Quer dizer, eu moro no Chelsea." Fiz um gesto vago para o lado de fora — fosse qual fosse o túnel em que estávamos empacados.

"Chelsea", ele repetiu, como se eu estivesse falando uma palavra estrangeira. *Açafrão. Indonésia.*

"E você?"

"Williamsburg", ele falou.

"Claro." Parecia mesmo o lugar perfeito para ele. Ao longo dos anos, tivemos inúmeras discussões sobre o tema Brooklyn versus Manhattan. Eu achava que, depois de vir de tão longe, não poderia morar fora da região central da cidade, principalmente naquela época, mas para Tobias o Brooklyn *era* a cidade. O único motivo para ele ter pegado o metrô aquele dia e estar em Manhattan era que havia feito uma entrevista em uma galeria e estava indo ver uma exposição de fotografias no Whitney.

"Qual delas?", perguntei quando ele me contou. Eu conhecia a cena de galerias do Chelsea. Desde que ficara sabendo da morte de Robert, no ano anterior, eu tinha criado o hábito de andar a pé pelo bairro. Era uma coisa que eu fazia para espairecer. Não que a morte dele tivesse mudado alguma coisa — eu não o via desde criança —, mas teve algum impacto sobre mim. Nem que fosse o de saber que eu não teria a chance de vê-lo nunca mais.

Eu costumava jantar no Empire Diner e depois ficava circulando pela Décima Avenida, da rua Vinte até a rua 29, entrando em qualquer galeria onde houvesse um vernissage. Era uma ótima forma de beber vinho de graça.

"Red Roof", ele falou.

"Eu detesto aquele lugar." Não sei por que falei isso. As palavras simplesmente saíram. Não que fosse mentira; eu detestava mesmo aquela galeria. As exposições eram sempre de um tipo de arte experimental que parecia excessivamente óbvia e simplista. Imagens de nus feitas com papéis de bala. A derrocada da sociedade pelas mãos da cultura pop. *Podridão edulcorada.*

"Que ótimo", ele falou. "Eu também." E então sorriu, e quando nos olhamos foi como se a ficha enfim tivesse caído. A coisa começou a acontecer. Mais tarde, eu me lembraria desse momento e me perguntaria o que teria acontecido se eu tivesse mentido. Se tivesse dito que conhecia a galeria e achava legal. Não sei se teria acontecido alguma coisa entre nós.

"E por que você foi fazer uma entrevista lá?"

Ele encolheu os ombros, jogando a cabeça para trás e apoiando na janela. "Trabalho é trabalho."

"Você é artista, então." Eu já sabia disso, claro.

"Sou", ele respondeu. "Tenho cara de quem passa fome ou coisa do tipo?" Acho que não era uma dedução muito difícil de fazer. "Como você se chama?", ele me perguntou, voltando a levantar a cabeça.

Respirei fundo. Meu peito se expandiu tanto que eu nem lembrava mais que estávamos presos em um túnel. O fato de que iríamos nos apresentar um ao outro me fez pensar — *saber* — que esse era o início de alguma coisa.

"Sabrina", respondi.

“Que nem a bruxa?”

“Ha, ha. Não. Que nem o fil...”

O trem deu um solavanco e então voltou a andar. Na verdade, fiquei decepcionada. Justo quando nossa conversa estava engrenando. Mas, quando o metrô parou na rua 42, ele me estendeu a mão. “Que tal um café?”, perguntou.

“Já estou atrasada para o trabalho.” Eu queria um encontro de verdade, e estávamos ficando sem tempo. “Vamos fazer assim.” Peguei uma caneta, virei a mão dele e anotei meu telefone. As portas se fecharam. Ele apoiou a mão espalmada no vidro. *Não vá deixar borrar*, pensei.

Ele ligou no dia seguinte e então rolou. Foi como se eu tivesse tido quatro anos para me preparar e, passado esse tempo, esse período de expectativa, de alinhamento e desapego, a abertura surgiu. E nós a aproveitamos. Entramos de cabeça.

20h00

Estamos comendo nossas entradas em silêncio. Jessica não para de enfiar o garfo dela no meu prato — é um hábito que criou comigo, do qual não sinto a menor falta. Ela tem essa mania de sempre querer o que eu estou comendo, que começou nas trincheiras do restaurante universitário no primeiro ano da faculdade.

Quando morávamos juntas, eu acabava comprando comida para nós duas. Agora o marido dela faz isso. Nem sei se ela já pisou em um supermercado alguma vez na vida.

"E a sua mulher?", Audrey pergunta. "Como vocês se conheceram?"

"Na clínica de reabilitação", explica Robert, lançando um olhar apreensivo para mim. "Ela também estava parando de beber."

Audrey toma um gole de sua bebida.

Aproximo meu prato um pouco mais de Jessica enquanto minha mente assimila o que Robert acabou de contar. Ele foi embora de casa, conheceu uma mulher na reabilitação e começou uma vida nova. Eu sabia de tudo isso, mas nunca tinha escutado da boca dele, diretamente da fonte.

"A gente se entendia", ele continua. "Não sei se eu conseguiria viver com alguém que não sabe como é ter um vício."

Tobias assente, e de repente sinto uma vontade intensa e bastante familiar de bater nele. Ele sempre fazia isso quando estávamos juntos — se mostrava abertamente condescendente/paciente com as coisas que me incomodavam, até com as que me magoavam.

"O seu problema", ele me dizia, "é que você julga demais." Como se isso fosse uma coisa muito profunda. Como se não fosse um insulto.

"Eu entendo", Audrey responde. "Nunca fui muito de usar drogas, mas vi o que aconteceu com muita gente próxima de mim. Uma pena. Acho que tinha muito a ver com falta de companheirismo."

Companheirismo. *Vou ficar aqui do seu lado em silêncio. Vou segurar sua mão e mostrar que entendo o que você está passando.*

"Você tem filhos?", Audrey pergunta, pegando uma ostra e pondo um pouquinho de raiz-forte em cima.

"Três meninas", responde Robert. "Sabrina, é claro, Daisy e Alexandra."

"Alexandra", Audrey repete, com um ar sonhador.

"Uma tem dezessete, a outra, vinte e quatro. A caçula gosta de cantar. A mais velha...", Robert hesita, e ele balança a cabeça e solta uma risadinha. Sinto um aperto tão forte no peito que fico com medo de acabar tendo um treco.

Conrad, ao que parece, é o único que repara nisso. "Esse não é exatamente o melhor caminho para pedir desculpas", comenta. Ele toma um grande gole de vinho e se recosta na cadeira.

"Não", diz Robert. "Não é."

"Não quero um pedido de desculpas", retruco. "Não tem nada que você possa fazer para compensar o que aconteceu, aliás."

"Por que eu estava na sua lista?", ele pergunta. O questionamento é tão repentino que fico tentada a responder com sinceridade.

Eu tinha colocado o nome dele antes de sua morte. E deixei lá por querer saber. Por ter exatamente a mesma pergunta que ele: *Por quê?*

"Ela quer que você tente", explica Jessica, em um tom quase de desespero.

"A-ha!", diz Conrad. "Família." Ele olha para Jessica, que bebe um gole d'água. "Uma contribuição bem perspicaz."

Ela engole. "Obrigada."

"Você perdeu todas as histórias, todas as lembranças", digo. "Você perdeu tudo."

"Sim." Robert contorce os lábios. Tenho uma recordação súbita — um déjà-vu — desse mesmo tique. Um bule no balcão da cozinha. Um café da manhã entre contas a pagar e desenhos animados. "Sua mãe contou como fomos para casa na noite em que você nasceu?"

Eu dou de ombros. "Sei lá. Não lembro. Provavelmente."

"Pode contar", diz Conrad. "Nós queremos saber", ele complementa, fazendo um gesto com a mão.

"Estava nevando", Robert começa.

"Que lindo", Audrey comenta.

"Parece ficção", diz Conrad. "Mas continue, por favor."

"Mas estava mesmo. Era quando nós ainda morávamos em uma casinha de fazenda na Pensilvânia. Você lembra daquela casinha?"

"Duas galinhas, uma cabra, três hamsters, porque a Sabby queria." Quem diz isso é Tobias.

Robert parece impressionado. Ele ainda precisa entender direito quem é Tobias. O que ele faz aqui/Por que ele está aqui. Me pergunto se ele já sabe.

"Sim. Isso. Bom, nós morávamos a uns cinquenta quilômetros do hospital."

Minha mãe já me contou essa história. Ele tem razão. Foi no meio de uma nevasca, e eles precisaram encostar o carro porque as condições para dirigir estavam péssimas. Minha mãe ficou comigo no carro e o meu pai foi até um celeiro ali perto para usar o telefone. O aquecedor não estava funcionando, ou então o carro nem tinha isso, não sei ao certo. Resolvo esclarecer isso agora.

"Não." Robert balança a cabeça. "Sua mãe não ficou no carro. Ela entrou comigo e nós passamos nossa primeira noite juntos como família lá naquele celeiro."

"Jesus!", exclama Conrad. "Sabrina poderia ser a filha de Deus."

"Você usou o telefone, vocês esperaram por uma hora até a nevasca passar e depois foram para casa", eu digo. "Não foi isso o que aconteceu."

"Nós passamos a noite toda esperando a nevasca passar. E não tinha telefone lá. As linhas não estavam funcionando."

"Por que minha mãe mentiria sobre isso?"

Robert espalha a comida no prato com o garfo, provocando um ruído de atrito com a cerâmica. "Vai ver ela esqueceu."

Sempre achei que a gente deveria se recordar só dos bons momentos. Quando relembro meu relacionamento com Tobias, minha tendência é fazer isso. Pensar em nossos melhores momentos. Nossos maiores acertos. As coisas que atrapalharam nosso caminho, as coisas que nos afastaram, eu também esqueço com facilidade.

"Vocês dormiram no chão com uma recém-nascida?", Jessica pergunta. Douglas, o filho dela, tem sete meses. Ela ainda está amamentando. Ela gosta de falar sobre isso o tempo todo. Não que me incomode. Ou melhor, não que eu já não esteja acostumada. Jessica sempre foi muito mais aberta do que eu. Costumava andar seminua pelo nosso apartamento. Porque sutiã dá câncer, ao que parece.

"Tinha uns cobertores por lá", Robert diz. "Marcie passou a noite toda amamentando Sabrina. E o dono da fazenda levou algumas coisas para a gente comer e beber."

"Eu nasci no século XIV, por acaso?" A ideia de que eu, logo depois de nascer, estivesse enrolada em um tecido de saco de algodão e passando a noite com os meus amorosos pais em um celeiro é um pouco demais para a minha cabeça. Junto lascas de parmesão com alguns pedaços de alface, levo tudo à boca e mastigo.

"Nós estávamos felizes", Robert diz.

"Por uma noite, pelo menos", retruco.

"Por um ano", ele diz. "Fomos felizes por um ano."

É verdade que eu não sei muita coisa sobre a minha infância. Acho que nunca perguntei muito, e a minha mãe não tocava tanto no assunto. Mas eu entendo por quê. Quando alguém vai embora, lembrar as alegrias é mais doloroso do que se concentrar nas partes ruins.

"E o que aconteceu depois?", pergunto.

"Responsabilidades", diz Audrey. Ela parece meio triste ao falar isso, e percebo que preciso conversar melhor com ela. Perguntar sobre sua vida. Mais uma vez, me sinto mal por tê-la arrastado para isso — para o meu drama pessoal.

"Elas sempre existiram", Robert explica. "E só piorou, nunca melhorou. A gente brigava o tempo todo. Eu não era tão presente quanto deveria. Ela queria que eu fosse embora."

"Não daquele jeito."

"Não", ele admite. "Não daquele jeito."

"Ela se casou de novo", Jessica diz. Lanço um olhar para ela, que encolhe os ombros. "Que foi? É verdade. E ela me parece feliz."

"É mesmo?" Robert olha para mim. Parece tão esperançoso que eu quase desmorono.

"Isso não faz diferença", respondo.

"Ah, faz, sim", diz Tobias. "Significa que aquela não era a única chance dela de ser feliz, e que talvez ela também não estivesse feliz com ele."

"E daí?"

"E daí que a culpa não é só da pessoa que vai embora. Se os dois estão infelizes, responsabilizar quem toma uma atitude a respeito é se prender a um mero detalhe."

"Que conveniente", digo.

Conrad limpa a garganta. "Nós estamos nos precipitando", ele diz.

"É inevitável", comenta Audrey. Ela parece mais interessada agora. Um pouco mais animada.

"Está tudo acontecendo ao mesmo tempo", Jessica comenta, apoiando a testa na mão.

"Isso é verdade, minha cara", Conrad diz. "E está tudo acontecendo agora mesmo, então é melhor tentarmos entender o que é."

Quatro

Ele estava atrasado. Eu estava na entrada da Ponte do Brooklyn, do lado de Manhattan. Seria o nosso primeiro encontro. Ele me ligou e me convidou para dar uma volta. E lá estávamos nós.

Era um dia de outono. 23 de setembro. O tempo estava friozinho, mas não gelado. Mas eu queria me movimentar. Estava ansiosa pela chegada dele.

Ele apareceu correndo trinta e três minutos depois do horário marcado. Chegou pelo lado do Brooklyn da ponte, com um sorriso constrangido no rosto.

"Estávamos cada um de um lado", ele falou. "Acho que eu deveria ter sido mais específico."

Ele me sorriu. Eu sorri de volta. Começamos a andar.

Atravessar andando a Ponte do Brooklyn é uma experiência espetacular em qualquer horário, mas no pôr do sol é uma coisa realmente maravilhosa. Foi como se o universo tivesse nos colocado em lados opostos para que pudéssemos caminhar juntos naquele exato momento, com o céu passando da fúria (o vermelho alaranjado) à rendição (o azul amarelado) bem diante dos nossos olhos.

Em algum ponto no meio da travessia, ele segurou minha mão. Foi emocionante.

"Me conta mais sobre você", falei.

"Eu prefiro ouvir sobre você", ele disse.

"Eu não sou muito interessante", respondi.

"Não é verdade." Ele estendeu a mão livre e afastou uma mecha de cabelos do meu rosto. "Você é a garota mais interessante do mundo."

Engoli em seco. "Bom, eu me formei na USC e me mudei para cá logo depois. Moro com a minha melhor amiga."

"No Chelsea", ele complementou.

"Isso. No Chelsea. E trabalho para uma estilista maluca."

"E o que você quer fazer?", ele perguntou.

"Não sei bem", falei. "Acho que é esse o problema." Ele apertou minha mão. Eu retribuí o gesto. "E você?"

"Consegui o trabalho."

"Na Red Roof?"

Ele assentiu. "Eu aceitei", ele falou como se estivesse confessando alguma coisa.

"Legal."

"Ah, é?"

"Sim. Fica a uma quadra do meu apartamento."

Eu ri, envergonhada do que havia acabado de dar a entender. Ele segurou a minha mão com mais força.

"Quer ver um filme?", ele sugeriu.

"Quero."

"Você escolhe, eu pago."

Acabamos vendo *Intriga internacional* em uma sala em Williamsburg que eu não conhecia e onde passavam filmes independentes e antigos em uma tela improvisada, acompanhados de vinho tinto barato e cervejas de quatro dólares.

Nós sentamos e recostamos a cabeça um no outro. Ele me abraçou. Quando Cary Grant falou: "Pelo jeito você só ficará satisfeito quando eu fizer o papel do morto", Tobias me puxou para mais perto e me beijou.

Não foi um beijo dos mais fervorosos. Isso só viria mais tarde. Foi um marco. A demarcação da linha de largada. Os lábios dele eram quentes e macios, e me lembro de que tinham gosto de cigarro e mel. Nunca imaginei que fosse adorar essa combinação, mas logo depois comecei a fumar, porque Tobias fumava. Era uma coisa que fazíamos juntos — íamos juntos para a escada de incêndio do meu apartamento no quinto andar, com as mãos vermelhas e trêmulas. Já era inverno. Ele estava praticamente morando comigo. E nós estávamos apaixonados.

20h38

"Tobias, o que você faz?", Conrad pergunta. Ele pediu outra garrafa de Merlot e está enchendo a taça de Audrey, apesar dos protestos não muito convincentes da parte dela. Jessica está checando o relógio e procurando o garçom com os olhos.

"Sou fotógrafo", ele responde.

Jessica se mexe na cadeira ao meu lado.

"Um homem das artes", Audrey comenta. "Que interessante."

"Você trabalhou com alguns dos melhores", Tobias responde.

Audrey sorri. Pela primeira vez na noite, me sinto inexplicável e incontrolavelmente atraída por sua presença. Pela maneira como afasta os lábios ao abrir a boca, apenas um pouquinho, como se estivesse prestes a contar um segredo guardado há muito tempo.

"Bob Willoughby era o meu favorito", ela diz. "Trabalhava para a Paramount. Tivemos uma parceria e tanto. Ele tinha um talento enorme para trabalhar com a luz. Costumava me fotografar de manhã bem cedo. Dá para imaginar? Sempre ao amanhecer."

Tobias se recosta na cadeira. Ele parece satisfeito. Acho que já me falou sobre Willoughby antes. Às vezes Tobias me tirava da cama logo cedo também. Estava sempre em busca da melhor luz.

"Falando sério, e a história com William Holden?", Conrad pergunta. "Eu sempre quis saber."

Audrey fica vermelha ao ouvir a menção a seu suposto amante. Ela pega a taça de vinho. Conrad dá uma risadinha. "É complicado", ela responde.

"Só isso?", insiste Conrad.

"Não", ela responde. "Mas uma dama não comenta."

"Bom, às vezes, depois de duas taças de vinho, uma dama fica mais comunicativa", Conrad diz.

Audrey finge que ficou ofendida, mas dá para perceber que não está, pelo menos não seriamente. Está começando a gostar dele. É evidente que simpatizou com Conrad, e isso me deixa contente — que alguém aqui seja capaz de deixá-la mais à vontade, de fazê-la rir.

Ela tosse discretamente.

"De que você se lembra mais?", Robert pergunta.

Ela toma um gole de vinho. Fica pensativa. É uma expressão que combina com seu rosto. "Os primeiros anos com as crianças", Audrey responde. "Era o que eu sempre quis, na verdade. Ser mãe." Ela se interrompe com o dedo indicador levantado. "Espera, você me perguntou do que eu costumo lembrar com mais frequência ou do que mais gostava?"

Robert parece perplexo. Percebo que, para ele, as duas coisas se equivalem.

"Tanto faz", ele diz.

"As duas coisas!", acrescenta Conrad.

"Eu adorei *Bonequinha de luxo*", ela conta. "A maioria das pessoas acha que não. Nunca entendi por quê." Ela está se abrindo. É como uma gota de corante caindo na água e começando a mudar o líquido. Pouco a pouco, e naturalmente, ela vai ganhando cores mais vivas. "A filmagem foi difícil. Não era fácil parecer tão extrovertida, porque sou uma pessoa bastante reservada..." Ela se interrompe por um momento antes de continuar. "Mas acho que é o filme de que mais me orgulho. Truman Capote e tudo o mais."

"Não diga", comenta Robert.

"O meu favorito é *A princesa e o plebeu*", diz Jessica. "Sabby e eu víamos o tempo todo."

"É verdade", confirmo. Eu me lembro de nós duas encolhidas no sofá. Com uma bacia de pipocas meio queimadas entre nós. Parece ter sido há tanto tempo.

"Fico lisonjeada", ela responde. "Foi meu primeiro filme. Me lembro desse projeto com muito carinho. Obrigada."

E então, como se tivesse se dado conta de alguma coisa, faz um gesto com a mão. "Estou falando de mim sem parar."

Conrad balança a cabeça. "Bobagem. Queremos saber", ele responde, olhando bem para mim.

"É fascinante", digo. "Somos todos grandes fãs seus."

Tobias assente com a cabeça. É verdade, é claro. Ele também é. Mas quem não é fã de Audrey Hepburn?

"E eu gostaria de acrescentar que nós precisamos falar sobre os seus trabalhos sociais", Conrad diz, batendo em seu caderninho. "Você é uma grande humanitarista."

"Não, não, é só uma coisa que todos nós precisamos fazer. Principalmente hoje."

"Principalmente", repete Conrad.

"O mundo virou um lugar sinistro nos últimos anos", Robert diz.

Conrad balança negativamente a cabeça. "Sempre foi. A diferença é que agora as pessoas estão prestando atenção."

"Não se pode ter o bem sem o mal", Audrey diz. "São como cadeias de DNA. Intrinsecamente e irremediavelmente entrelaçados. Às vezes o bem leva a melhor, às vezes o mal. Não devemos lutar pelo triunfo definitivo do bem, mas pelo equilíbrio. É como as coisas são."

"É como as coisas são", repete Conrad.

Cinco

Tínhamos um joguinho nosso, Tobias e eu. Cinco palavras para descrever nossa vida naquele momento, naquele exato instante.

Ele me fazia essa pergunta em qualquer lugar. No chuveiro, logo de manhã. Às vezes por mensagem de celular ou por e-mail. Em um domingo chuvoso no apartamento dele, em uma tentativa de arrancar de mim se eu queria pizza ou comida chinesa. E, uma vez, bem no meio de uma briga.

"Cinco?"

A primeira vez que brincamos disso foi ao final do nosso primeiro encontro. Depois de atravessar a Ponte do Brooklyn, do filme e de duas garrafas de vinho tinto espanhol barato, ele andou comigo até minha casa. Àquela altura, parecia que tínhamos atravessado todos os distritos da cidade. Que estávamos nos deslocando desde sempre.

Ele se inclinou para a frente. Tínhamos nos beijado a noite toda. No cinema, quando ele passou os braços por trás da minha poltrona e pôs a mão sobre o meu ombro. Na volta para casa. Na rua, sob as luzes da Oitava Avenida.

"Me diga cinco", ele falou.

"Cinco o quê?"

"Cinco palavras", disse. "Sobre como está sua vida agora."

"Agora tipo *agora*?"

Ele tocou meu nariz com o dedo. "Agorinha."

"E se eu só precisar de uma?", perguntei.

Ele se encostou no batente da porta do meu prédio. Umas lascas soltas de tinta salpicaram seu casaco. De lã. Desfiado nos punhos.

"Tudo bem", ele falou. "E qual seria?"

"Feliz."

Nós nos olhamos. Em seguida ele me puxou para junto de si. Segurou meu rosto entre as mãos e me beijou. Eu me lembro de ter me sentido serena e equilibrada, por algum motivo. Como se o seu beijo não tivesse me arrebatando para as nuvens, e sim ancorando meus pés no chão. Seu beijo me fez sentir como se eu enfim, finalmente, tivesse encontrado meu lugar no mundo.

"Me diga as suas cinco", falei com a boca colada à dele.

"Contente", ele falou, com o hálito quente junto ao meu rosto. "Abertura", continuou, beijando minhas pálpebras.

"Outono", eu disse.

"É. Outono é uma boa."

"Começo", ele falou. O que senti no meu coração quando ele disse isso foi uma coisa absurda. Eu parecia uma personagem de desenho animado.

"E a última?", eu quis saber.

Ele me girou e me apertou contra a porta de madeira. Senti minhas costas se contraírem quando suas mãos se enfiaram dentro do meu casaco.

"Agora", ele disse.

Ficamos nos pegando naquela porta um tempão. Já tinha amanhecido quando entrei com as pernas bambas e subi a escada. Ao abrir a porta, dei de cara com Jessica de ponta-cabeça em cima de seu tapetinho de ioga.

"Por onde você andou?", ela perguntou.

"Tobias", falei.

Ela desvirou o corpo. "Uau", disse. "São sete da manhã."

"Nós vimos um filme. Andamos pela cidade toda."

"Tá brincando", ela disse. "Isso é mais do que romântico. Não acredito. Não acredito que seja mesmo ele." Ela não estava mais olhando para mim. Seu olhar estava fixado em algum ponto do teto. "Como foi?", perguntou, voltando seus olhos de novo para mim.

Eu me sentei ao seu lado. Não falei uma palavra.

"Tão bom assim, é?" Ela deu um suspiro.

"E mais um pouco. Acho que estou me apaixonando por ele." Era mentira, claro. Eu já estava apaixonada. "Comprei uma foto dele", continuei. "Lembra quando fui até o clube de fotografia? Era uma exposição. Ele não estava lá, mas eu comprei a foto. Nunca contei pra você."

Jessica me encarou. Ela balançou a cabeça. "Durante todo esse tempo", ela comentou, "ele estava por aí."

"Pois é."

"Não é uma loucura? Você não fica se perguntando por que demorou tanto pra vocês se encontrarem?"

Na verdade, não. Eu só estava feliz por ter acontecido.

Aqueles quatro anos entre Santa Monica e o metrô tinham sido marcados por decisões bastante equivocadas da minha parte. Eu tinha vindo para Nova York em parte por causa de Anthony, o namorado da faculdade com quem, apesar de não estar mais a fim, eu não terminei. Ele se mudou logo depois de se formar, e eu fiz o mesmo um ano depois. Eu mal tinha chegado quando ele terminou comigo de vez. Para ser justa, nós lidamos muito mal com o namoro à distância. Eu fiquei com outras pessoas. Tenho certeza que ele também. Ele era novo na cidade, trabalhava umas cem horas por semana e ganhava um salário de executivo do mercado financeiro.

Estava saindo com jovens modelos e mandando a conta para o grupo Goldman. Eu estava para começar como assistente na *Skyline Magazine*, onde fiquei por uns três meses antes de ir trabalhar para a estilista. O trabalho na revista não era grande coisa — o salário era uma miséria e me obrigava a fazer bicos como babá de noite e nos fins de semana.

Anthony e eu nos encontramos no Washington Square Park quatro dias depois da minha chegada. Ele me disse que queria terminar. Na verdade, não foram essas suas palavras. O que ele falou foi: "Eu não estou pronto para isso". Eu chorei durante semanas, apesar de não estar nem aí, apesar de saber que isso não significava nada. Fiquei ouvindo músicas românticas cafonas. Perdi quase três quilos. Mas não era bem uma desilusão amorosa. Isso eu só teria com Tobias. Era só uma decepção. Eu não estava em um bom momento. Jessica se sentava no chão comigo, fazia brownies com maconha, e nós assistíamos a *Casablanca* várias vezes, nem me lembro mais por quê. *Nós sempre teremos Paris?* Eu tive uma série de casinhos depois disso, e todos tinham alguma coisa errada. Jessica me reconfortava e me animava. E às vezes eu me ressentia dela por isso — por sua fé inabalável de que tudo ficaria bem —, pelo menos até aquele dia. Naquele dia, eu a amei por isso.

Jessica cruzou as pernas sob o corpo. "Parece o começo de alguma coisa, né?", ela disse. "Agora mesmo. E se ele for o cara certo?"

Para Jessica, tudo sempre se resumiu a uma espécie de trajetória. Casamento. Filhos. Uma casa. Jessica ainda estava com Sumir, e eles passaram juntos por cada estágio da vida adulta — perda da virgindade, formatura, primeiro emprego.

Mas, naqueles primeiros anos com Tobias, a questão nunca foi para onde aquilo ia dar. Sempre foi sobre onde estávamos em cada momento.

Um pôster pendurado na parede do nosso apartamento parecia zombar de mim. O QUE VOCÊ PLANTAR AGORA, VAI COLHER MAIS TARDE.

Jessica se levantou do chão e foi para a cozinha. “O amor está no ar!”, ela gritou por cima do ombro. Estava mesmo.

20h54

“Preciso usar a bombinha”, Jessica sussurra para mim.

Ela está afastando o blazer dos seios inchados.

“Você está com seu aparelho?”, pergunto. Apesar de já tê-la visto andando por aí com aquele negócio preso no peito, que a ordenha como se fosse uma vaca — *vush, vush, vush* —, não tenho a menor ideia de como aquilo funciona. Nem do tamanho da coisa.

“Vou dar uma escapadinha até o banheiro”, ela diz. “Eu trouxe comigo.”

“Tem como fazer isso?”, Tobias pergunta.

Demoro um instante para perceber que ele está falando conosco, que ouviu tudo e está se referindo ao ato de Jessica se levantar e sair da mesa. Se ela fizer isso, vai ter como voltar?

“Estou vazando”, ela responde. “Acho que vamos descobrir isso em breve.”

Ela afasta a cadeira e pendura a bolsa no ombro. Todos nós a observamos, mas não acontece nada. Ela vira num canto e Conrad volta a chamar nossa atenção.

“Acho que o nosso tema já deu”, Conrad diz. “Vamos fazer uma brincadeira enquanto esperamos a comida chegar.”

Tobias apoia o cotovelo na mesa. "Mas a gente estava chegando na parte boa", ele comenta. "O amor estava entrando na conversa."

"É melhor entrar nesse tema pelas beiradas", Conrad sugere. "Ele já surgiu na conversa, e ainda vai voltar a aparecer."

"É verdade."

Audrey franze os lábios. Ela põe a mão no braço de Conrad, que imediatamente se cala. "O que aconteceu com vocês dois?", pergunta. Está se referindo a Tobias e a mim.

Tobias olha para mim. É a primeira vez desde que cheguei que deixo que nossos olhares se encontrem.

"Acho que a gente queria coisas diferentes", ele responde.

Baixo os olhos para a mesa. Me recuso a revirá-los. Ele percebe imediatamente minha irritação. Não faço questão de disfarçar. "Não é verdade?", ele me pergunta.

"A gente queria coisas diferentes? Você não está falando sério."

Tobias cruza os braços. "Sei lá."

"Nós dois queríamos tudo", eu digo. "Esse era o problema."

"Isso nunca foi problema para mim."

"Foi, sim. Lembra daquele dia em Great Barrington? Você me disse que acreditava que a gente não deveria se esforçar tanto para fazer uma coisa acontecer."

"Sim", ele diz. "E continuo pensando assim."

"Então para você estava tudo bem?"

"Com o quê? Nosso relacionamento?"

Faço que sim com a cabeça.

"Para mim estava", ele responde. "Eu só não ficava bem de ver como você estava infeliz."

Audrey faz um gesto com a mão. "Desculpe", ela diz. "É

uma situação bastante incomum. Talvez não seja bom ir assim direto ao cerne da questão."

Tobias balança a cabeça. "Agora tanto faz. São águas passadas."

Águas passadas. Eu quero dizer mais uma coisa, mas me interrompo. Porque não sei se já quero trazer isso à baila. É uma sensação familiar, essa hesitação da minha parte. Houve momentos em que meu namoro com Tobias parecia uma partida de Jenga. Quanto eu posso dizer? Se eu revelar isso, vai fazer tudo desmoronar? Se eu disser como realmente me sinto, vai ser minha última jogada? Era ao mesmo tempo assustador e empolgante porque, cada vez que eu tirava uma peça da estrutura e a torre continuava de pé, parecia uma vitória. O que não tinha me ocorrido era que, em algum momento nesse jogo, toda a torre cai. Acontece toda vez. É assim que o jogo termina. Por que eu continuei jogando, então, se sabia que eu ficaria em ruínas?

Seis

No dia seguinte ao nosso primeiro encontro, ele apareceu no meu apartamento. Eram três da tarde de um sábado. Jessica não estava — tinha ido passar o dia no norte do estado de Nova York com Sumir, visitando casas de campo que eles não tinham como comprar.

Eu estava pintando as unhas dos pés na janela. Era um dia de veranico no meio do outono, e eu estava de calça jeans curta e blusinha regata. Ele tocou o interfone, mas eu não ouvi. Em seguida gritou meu nome da calçada. A janela do meu quarto dava para a Décima Avenida, e eu o vi, cinco andares abaixo, apertando os olhos por causa do sol.

"Oi", gritei.

Ele acenou.

"Quer subir?"

Ele fez que não com a cabeça. "Quero que você desça."

"Estou pintando as unhas do pé", falei. Sacudi o vidrinho de esmalte na janela. Era azul neon. *Corrida Noturna.*

"Eu espero", ele disse, apontando para o outro lado da rua. "Café." Eu o vi entrar no Empire Diner e escolher uma mesa perto da janela. Enfiei os pés nos chinelos com o esmalte ainda fresco e desci correndo. Meu coração estava disparado dentro do peito enquanto eu atravessava a rua para encontrá-lo.

"Ah, que ótimo", ele falou quando eu entrei. Em seguida levantou, pôs uma nota de cinco dólares na mesa, segurou minha mão e nós saímos.

"Você não queria café?"

"Sem chance de a gente não passar esse dia ao ar livre", ele respondeu.

Ele me virou em sua direção. Havia momentos em que estar com ele era como dançar. Uma valsa, um two-step, às vezes um swing, sempre um tango.

"O que você está fazendo aqui?", perguntei, um pouco ofegante.

"Eu estava pensando em você. E percebi que isso era uma idiotice."

"Idiotice?" Fiquei tensa em seus braços.

"É, uma idiotice. Por que ficar só pensando em você se eu podia vir te ver?"

Ele me beijou. Nós começamos a andar. Não fazia diferença para onde estávamos indo, mas perguntei mesmo assim.

"Até a água", ele disse. "Quer dizer, se você quiser" Às vezes ele se mostrava assim tímido. Um pouco inseguro. Acontecia nos momentos mais estranhos.

Nós demos as mãos. Atravessamos as esquinas correndo. Saímos da rua Catorze e pegamos o caminho do Hudson.

Eram quase quatro da tarde quando chegamos lá. Eu nem pensei em levar uma blusa. Desabamos no gramado de um dos píeres e Tobias tirou seu moletom, que colocou sobre meus ombros, e enfiei os braços nas mangas. Tinha o cheiro dele. De cigarro e mel e uma leve brisa marinha. "Obrigada", eu disse.

Fiquei com essa blusa depois que ele foi embora, porque ainda tinha o seu cheiro. Não lavei, mas dormia com ela, e depois de um tempo ficou com o cheiro do meu suor e do meu xampu de coco, e fui obrigada a admitir que era só um moletom. Ele já tinha ido embora.

Tobias se deitou. Eu fiz o mesmo. Não estávamos nos tocando, mas eu sentia seu corpo perto do meu. Parecia que estávamos afundando no chão, nos tornando parte da paisagem. Como se fôssemos nos encontrar lá — em algum lugar no meio da terra fresca. Onde tudo começa.

"Eu adoro Nova York", falei. Parecia um comentário dos mais genéricos, mas era de fato como eu me sentia.

"Acho que eu moraria em Portland", ele respondeu. "Tenho esse sonho. De acordar e ir fazer uma trilha. Cozinhar. Ficar ouvindo a chuva."

"Usar um monte de roupas da Patagonia."

"Sim." Ele entrelaçou os dedos aos meus. "Mas em um lugar com qualidade de vida de verdade. Um lugar tranquilo. Adoro o Brooklyn, mas às vezes fico me perguntando se essa é mesmo a melhor versão da minha vida."

"Claro que não", respondi. "A melhor versão está em um iate em Mônaco, fotografando modelos da Victoria's Secret."

"Fotografia comercial não é a minha praia."

"Espero que você esteja sendo sarcástico", respondi. Mas não me virei para ver a expressão dele.

"Em parte."

Era uma coisa que Tobias sempre dizia. *Em parte*. No começo, eu adorava isso. Era uma prova de que ele era uma pessoa complexa, que se recusava a afirmações definitivas. Na minha cabeça, isso significava que ele enxergava verdade em coisas frívolas, e a frivolidade em coisas importantes. Era uma forma aberta de ver o mundo. Mas, depois de alguns anos, isso começou a me deixar confusa. Era como andar em um terreno pantanoso — eu não sabia mais o que era real para ele. Quando perguntava se estava bravo comigo e ele respondia "em parte", o que isso queria dizer?

Eu estava tremendo, mesmo de blusa. O vento batia forte. Na nossa frente, Nova Jersey surgia em meio à água.

"Eu tenho uma pipoqueira e *A princesa e o plebeu* em DVD", ele disse ao meu lado. "Vamos cair fora daqui."

Ele era encantador e sexy, o universo estava colaborando para ficarmos juntos *e* ele gostava de Audrey Hepburn. Parecia que eu tinha entrado em outra realidade — aquela onde vivem a realeza e as celebridades. Pessoas que estavam sempre sorrindo, afinal que motivo elas tinham para se preocupar? A vida era o máximo.

Fomos para o apartamento dele. Um loft na Woodpoint Road com paredes de um azul bem vivo onde haviam pendurado telas enormes pintadas pela metade.

"Meu colega de apartamento é artista", Tobias explicou. "Bom, um deles." Eram cinco quartos enfileirados, mas só Tobias e Matty estavam sempre por lá. Dois dos moradores eram arqueólogos em uma escavação no Egito. Só os encontrei uma vez, no dia em que Tobias se mudou. Outro (o artista) tinha uma namorada que morava em Greenpoint, e por último tinha Matty, um garoto quieto de dezenove anos que estudava ciência da computação no Brooklyn College. A família de Matty tinha emigrado da República Dominicana para os Estados Unidos quando ele tinha três meses e, embora às vezes parecesse que tinha dezesseis anos, sempre se mostrava muito maduro. Tobias dizia que Matty era seu melhor amigo, e com o tempo percebi que isso era verdade. Era uma amizade improvável. Tobias era impaciente e espontâneo — despojado, chamativo e aéreo. Matty era metódico e previsível e ficava feliz de fazer o papel de escudeiro. Apesar de estar na faculdade, já ajudava a pagar o aluguel dos pais, que moravam no Bronx.

"Matty, meu garoto!", ele falou quando entramos. "Trouxe companhia."

Dei uma cotovelada nas costelas dele.

Matty enfiou a cabeça para fora do terceiro quarto. Havia uma placa na porta com os dizeres SESSÃO DE ESTUDOS EM ANDAMENTO e uma foto de uma menina em cima de uma escrivaninha, as pernas em volta de um cara sentado na cadeira. Imediatamente percebi que fora Tobias que havia comprado.

"Olá", ele me disse, estendendo a mão, mas sem sair de trás da porta.

Eu o cumprimentei. "Oi."

"Vamos ver um filme da Audrey Hepburn. Topa?"

Matty espichou a cabeça um pouco mais para fora.

"Ele é meio marmota", Tobias falou. "Não leva a mal."

"Eu adoro marmotas", respondi.

Tobias sorriu para mim. Passou o braço em torno dos meus ombros e me apertou. "Eu também, Sabrina. Eu também."

"Tenho prova de economia amanhã", Matty falou. "Mas, se vocês assistirem em um volume normal, consigo ouvir daqui."

"Multitarefa", Tobias comentou. "Adoro isso."

Matty fechou a porta.

"Que engraçado", eu disse de forma inaudível.

"Um charme", ele respondeu da mesma forma.

Os dezenove anos de Matty contrastavam com os nossos vinte e três, e na época aqueles quatro anos pareciam décadas — uma diferença de idade que nos permitia ser mais velhos, mais sábios e mais experientes. Às vezes, era como se fôssemos os pais dele, apesar de não termos esse direito. Matty era mais inteligente que nós dois juntos.

"Vem cá", Tobias falou.

Ele me puxou para junto de si. Começamos a pegação. Suas mãos encontraram os meus quadris, e depois a base da minha coluna. Ele foi subindo por baixo da minha blusa. Eu suspirei com a boca colada à sua.

"Vamos deixar o filme pra próxima", murmurei.

"Nós podemos ser multitarefas também", ele falou. Me deu um beijo longo e levantou do sofá para colocar o filme para rodar. Fiquei observando suas costas — eu ainda estava com seu moletom, e ele usava apenas uma camiseta cinza fininha. O tecido se estendia e se dobrava com o movimento dele, como um bailarino se aquecendo.

Ele baixou uma tela de projetor do teto, enquanto a música de abertura começava a tocar em algum outro lugar do apartamento.

"Uma experiência cinematográfica desconstruída", comentei.

Ele se virou e me lançou um olhar esquisito.

"Que foi? É legal", me apressei em dizer, e ele revirou os olhos.

"Então tá", ele falou.

O filme começou, mas eu não assisti. Porque ele pegou minha mão e me levou pelo corredor até o quinto quarto. Um cômodo pequeno, com uma cama de casal, lençóis azuis e estantes de livros que cobriam todas as paredes. Apinhado, mas aconchegante.

Segurou meu rosto entre as mãos. Ele me inclinou para trás, e eu caí na cama. Não havia para onde ir.

"Ora, veja só", falei.

"Pois é", ele disse. "Veja só."

21h02

Jessica volta para a mesa com passos apressados, escondendo a bombinha dentro da bolsa. "Desculpe, desculpe", ela diz. "Mas já estou de volta."

Nossas entradas acabaram (não ganhei nem um pedacinho do crudo de peixe), mas o que Audrey diz é: "Acho que começamos a progredir aqui". Ela aponta para o outro lado da mesa, para Tobias e para mim.

Jessica põe a bolsa no chão e passa as mãos nos cabelos. "Sabby e Tobias?"

Conrad se inclina para a frente e aponta para Jessica. "Você", ele diz, "deve ser a única pessoa capaz de contar a verdade sobre essa história."

"Ah, não", responde Tobias. "Nesse caso, nós estaríamos ferrados."

Jessica lança um olhar de raiva fingida para ele, e sinto um aperto no coração ao lembrar de como eles costumavam interagir — de como era a dinâmica entre nós três.

Audrey parece confusa. Conrad dá uma risadinha. Robert afasta um pouco a cadeira da mesa. "Por que isso?"

"Ah, não", Jessica diz, tomando um gole de vinho. Depois do parto, voltou a beber. Ela olha para mim. "Você quer mesmo que eu fale?"

Eu estendo a mão para ela. “Tanto faz”, respondo. “A conversa já entrou fundo nessa questão mesmo.”

“Foram dez anos”, Jessica diz, cautelosa, sem tirar os olhos de Tobias. “Uma jornada bem longa. Eu...” Ela suspira. “Vocês têm certeza?”

“Por favor”, pede Conrad. “Continue.”

“Eles se amavam. Às vezes eu acho que esse era o problema. Era demais; isso tornava as coisas difíceis quando não deveriam ser.”

“Às vezes o amor não é fácil”, Audrey diz.

“Se você está com a pessoa errada”, retruca Jessica. Ela percebe o que está fazendo e arregala os olhos. Acabou de corrigir Audrey Hepburn.

“Acho que ela tem razão”, comenta Robert.

“Um endosso com conhecimento de causa.” Eu não consigo me segurar.

“Você não acha que eles eram a pessoa certa um para o outro?”, Audrey pergunta.

“Eu achava”, Jessica diz. “No começo. Por um bom tempo, na verdade. Mas... eles continuaram meio infantis. Às vezes eu sentia que o relacionamento deles mantinha os dois eternamente na idade em que eles se conheceram.”

“Você tinha dezoito quando conheceu o Sumir”, respondo. “Isso não é justo.”

“Vocês não chegaram a lugar nenhum”, Jessica rebate.

“Por que sempre precisa ter um ponto a se chegar?”, pergunto. “Não é você que vive falando que o importante é a jornada? Você acreditava em coisas assim — no fluxo da vida, ou sei lá o quê.”

“*Viver* é seguir adiante”, Jessica diz. “Não estou dizendo que vocês tinham que se casar. Só estou dizendo que precisavam evoluir, e isso não aconteceu.”

Aperto o nariz entre o polegar e o indicador. Tobias se vira para nós. “Em certo sentido você tem razão”, ele diz para Jessica.

“Dã.” Ela sorri para ele.

“Eu a amava”, Tobias continua. Seus olhos encontram os meus. “Toda a minha vida... sempre foi ela.”

Antes de eu ter a chance de assimilar essas palavras, Jessica interrompe: “Eu sei disso”, ela diz. “Disso eu nunca duvidei.”

Penso nos dois anos que passamos separados. Quando ele foi para a Califórnia e trabalhou como assistente de fotógrafo para um figurão do rock em Santa Monica.

“Que diferença faz?”, pergunto. “O próprio Tobias já disse: são águas passadas.”

“Mas não é por isso que estamos aqui?”, Audrey diz.

Olho ao redor da mesa. “Pensei que nós tínhamos uma coisa essencial em comum”, respondo. “Que éramos fundamentais um para o outro. Que estávamos destinados a ficar juntos para sempre.”

Jessica suspirou alto. “Mas não sei nem se vocês deviam ter ficado juntos para começo de conversa. Tobias sempre foi uma flor.”

Jessica tem uma teoria de que as pessoas nos relacionamentos são ou flores ou jardineiras. Duas flores não deveriam ficar juntas; precisam de alguém que lhes dê apoio, que as ajudem a crescer.

“Eu gostava disso nele.”

“E você?”, Audrey pergunta.

“Eu sou uma jardineira”, respondo. “Esse não era o problema. Essa parte funcionava.”

Jessica balança negativamente a cabeça. Ela pega seu vinho. De repente, parece ter ficado muito triste. “Você não era uma jardineira”, ela comenta. “Isso te transformou em uma.”

Sete

"Acho que você é uma orquídea."

Foi o que Tobias me disse quando estávamos deitados na sua cama pequena e estreita, no seu apartamento de cinco quartos, ouvindo os últimos acordes do encerramento de *A princesa e o plebeu* tocando em algum lugar. Parecia uma coisa onírica e distante. Matty tinha saído da toca para preparar alguma coisa para comer, e ouvi ele se movimentar na cozinha aberta, circulando ao redor do micro-ondas.

"Você acha que eu sou uma flor?"

Tobias se apoiou no cotovelo. Ele começou a explorar meu ombro com a ponta dos dedos. Subiu a curvatura, desceu a depressão formada pela minha clavícula.

"Claro."

"Estamos encrencados, então", respondi. Eu tinha acabado de contar sobre a teoria de Jessica. Não sei por quê. Sexo leva a esse tipo de coisa às vezes. Faz o tempo correr mais depressa. Faz a gente pensar que já está bem mais adiante no caminho, em um lugar onde ainda não é o momento de estar.

"Estamos?" Ele pôs os lábios onde estavam seus dedos. Comecei a passar a mão em seus cabelos. "Não parece."

"Bom, você claramente é uma flor."

"Sou?"

"Você é. E duas flores não podem ficar juntas."

Eu me lembro de ter prendido a respiração nesse momento. *Ficar juntas.* Falei cedo demais? O que eu quis dizer com essas palavras? Eu sabia, sim. Naquele momento eu já estava me referindo a tudo. Viver, trabalhar, criar e respirar juntos. Entrelaçar nossas vidas de um modo que não pudessem ser separadas — mas era loucura pensar isso em relação a uma pessoa que eu só conhecia fazia setenta e duas horas.

O problema, claro, era que eu achava que o conhecia desde aquele dia em Santa Monica. Que eu o conhecia havia quatro anos.

"Como assim?", foi o que ele disse.

"As pessoas ou são flores ou são jardineiras. As flores desabrocham; as jardineiras cuidam delas. Duas flores juntas ficam sem cuidado. Tudo acaba morrendo."

"Ou acaba se espalhando por toda parte", ele disse. E me beijou um pouco mais. Isso ajudou. "Quem foi que inventou isso aí mesmo?"

"Minha colega de apartamento."

"Sua colega de apartamento." Ele se afastou um pouco e estreitou os olhos para mim. "Não é por nada, mas parece uma coisa simplista demais e totalmente errada."

"Tudo bem. A teoria não é minha."

"Mas você acredita nela?"

Eu deitei a cabeça no travesseiro. "Ah, sim", respondi. "Acredito. Acho que existem dois papéis em um relacionamento." De novo, por que fui usar essa palavra? *Relacionamento.* Parecia tão esquisita, enfiada no meio da nossa conversa. "O da pessoa que é a base e o da pessoa que chega mais alto."

"Eu nunca impediria alguém de crescer", ele disse.

"Mas você não é um jardineiro."

"Por que nós não podemos crescer juntos?" Ele me encarou, e entendi que não estava falando isso em termos gerais. Sabia que estava se referindo a nós.

"Talvez a gente possa", respondi.

Nós transamos de novo, mas dessa vez foi diferente. A primeira vez foi divertida, meio desajeitada e um pouco constrangida — como costuma ser, principalmente quando tem mais coisas envolvidas. Mas dessa vez foi como se o sexo nos transformasse. A ideia em torno dele. Duas pessoas se tornando uma.

Mais tarde, Matty foi jantar com a gente — em um restaurante indiano minúsculo em Bedford que servia o melhor daal e chutney de tamarindo. Nós íamos sempre lá nos anos seguintes. Às vezes Matty e eu, às vezes eu e Tobias, às vezes Matty e Tobias. Naquela noite, ficamos de mãos dadas embaixo da mesa. Falamos sobre viajar para a Índia, e demos risada porque sabíamos o que o outro estava pensando — o que queríamos dizer — *vamos juntos*. Mas, apesar da nossa tarde de intimidade, ainda era tudo muito recente. Eu não queria quebrar a magia do momento nem mesmo com a promessa do que parecia vir pela frente. Era tudo delicado demais — estava no ar, nas nuvens, na superfície espelhada e turva de uma bolha gigante. Ainda precisava se solidificar.

"Como foi o filme?", Matty quis saber.

"Esclarecedor", Tobias respondeu, acariciando meu pulso com o polegar.

"Ótimo", eu disse.

Tobias levantou as sobrancelhas. Matty partiu um pedaço de naan. "Não acho que seja o melhor trabalho dela", ele comentou. Às vezes Matty levava a sério demais coisas que sequer mereciam sua atenção — críticas sobre restaurantes, filmes esquecidos há décadas.

"Ah, não?" Tobias se inclinou para a frente. A mesa balançou com transferência de peso.

"*Bonequinha de luxo*", Matty falou, "Clássico".

"Só porque uma coisa é muito conhecida não significa que seja ótima ou mesmo boa", argumentou Tobias.

"Claro que não", respondeu Matty. "Mas na maior parte das vezes essa fama tem um motivo. A popularidade significa que as pessoas gostam, e não tem uma relação forte entre gosto e qualidade?"

"Isso é verdade mesmo?", questionei. "Acho que é só uma questão de ser um nome que as pessoas conhecem. Quer dizer, a maior parte das pessoas gosta de *Bonequinha de luxo* ou só *ouviu falar* do filme? A Audrey está nos dormitórios de todas as estudantes universitárias. Bom, ela e as miniaturas da Torre Eiffel."

"Dá no mesmo", Matty falou. "A maioria das pessoas já ouviu falar justamente *porque* é o melhor filme dela."

"Por essa lógica os nazistas eram bons porque todo mundo já ouviu falar deles", rebati.

"Eu não disse que era bom", Matty retrucou. "Estou falando que foi o maior trabalho dela. Em termos de ser mais conhecido, ter entrado pra história etc."

Tobias pôs a mão na minha nuca. "Deixa quieto", ele falou. "Matty acha que precisa ganhar todas."

"Não é uma questão de ganhar", Matty respondeu. "É uma constatação do óbvio, só isso."

Tobias riu, e eu também. Matty tinha esse efeito sobre nós — conseguia nos unir simplesmente sendo ele mesmo. Fosse em uma opinião conjunta sobre Matty (as roupas que usava, como ele devia conversar com as garotas) ou sobre suas teorias, dava no mesmo. Quando nós três nos juntávamos, Tobias e eu ficávamos sempre do mesmo lado.

"Onde foi que vocês se conheceram?", Matty quis saber, apontando para mim com a cabeça.

"Presos no metrô", Tobias disse, ao mesmo tempo que eu disse: "Na praia".

Tobias achou graça. "Na praia?"

Eu ainda não tinha contado sobre a primeira vez em que nos vimos. Eu gostava daquele segredo entre nós. Era como ter uma carta na manga. Que eu poderia guardar e só pôr na mesa quando precisasse. Não sei por que resolvi abrir o jogo naquele momento.

Mas alguma coisa em Tobias sempre me forçou a ser honesta, a me abrir, a ceder. A sinceridade vinha em primeiro lugar. Sinceridade sempre. Era esse seu lema.

Quando Jessica e eu tínhamos vinte e três anos, fomos a uma palestra de sua santidade o dalai-lama na Times Square. Jessica providenciou tudo. Tinha visto os folhetos de divulgação do evento na NYU e entrou em um sorteio no qual ganhamos não só o direito de comparecer, mas também assentos reservados. Havia provavelmente umas duas mil pessoas entre nós, mas a energia que ele emanava era palpável. Jessica chorou. Eu não conseguia nem falar.

O que mais me marcou de tudo o que ele disse é: *A bondade vem antes da sinceridade.*

Costumam nos ensinar que a sinceridade é a qualidade mais importante. Diga a verdade. Não minta. Mas existem tantas situações em que a sinceridade não faz bem nenhum. Em que a coisa mais bondosa a fazer é guardar para si aquilo que você pensa.

Tobias não entendia isso. Ele me contava tudo. No fim, passei a fazer o mesmo. Mas, junto com a sinceridade, veio a crueldade. Às vezes eu achava que nós éramos sinceros só para ver o quanto éramos capazes de machucar um ao outro.

"*Ashes and Snow*", eu falei. "Nós conversamos sobre a foto do menino com asas de águia."

Embaixo da mesa, Tobias soltou minha mão. "Não estou entendendo."

"Eu já conhecia você quando te vi no metrô", expliquei. "Quer dizer, eu te reconheci." Passei a mão no cabelo. Sentia meu rosto esquentar. "Sei que parece loucura."

Matty olhava para mim e depois para ele, como se estivesse acompanhando os últimos segundos de uma partida de tênis.

Tobias se recostou na cadeira. Passou a mão na testa. "*Ashes and Snow*? Isso foi o quê, quatro anos atrás?"

"Isso", falei. "Eu estava na faculdade. Fui com a turma de uma disciplina que estava cursando. Não é nada de mais."

"É", ele falou. "É, sim."

Quase perguntei se ele estava bravo, mas fiquei quieta.

"Eu não lembro", ele disse, afinal.

Isso me incomodou, mais do que demonstrei. Ele devia ter lembrado. Eu nunca teria esquecido.

"Eu não tinha certeza", falei. Era mentira, mas parecia uma boa emenda.

"Mas depois você teve."

"Acho que sim. É uma coincidência curiosa, só isso."

"Coincidência", repetiu Matty. "Que conceito ridículo."

Nós nos voltamos para ele.

"Todos os acontecimentos no universo ocorrem de forma aleatória", ele falou. "Não existe ordem. O que reina é o caos."

"Então por que você arruma sua cama como se fosse um leito de hospital?", Tobias perguntou.

Soltei um suspiro de alívio.

"Porque eu não suporto bagunça", Matty falou.

"Uma contradição ambulante", Tobias comentou. E, para mim: "Você gostou?".

"Da exposição?"

Ele sorriu. "Sim."

"Adorei."

Tobias assentiu com a cabeça. "Acho que eu não."

"Você tá de brincadeira." Remexi um pouco o arroz com ervilhas e o curry no meu prato. "Você falou um monte de coisas sobre aquela foto."

"Falei?"

"Espaço e natureza e... sei lá. Na época você gostou. Disse que já tinha ido várias vezes."

Matty mastigava, pensativo. "Ele tinha um puta mau gosto para arte. Às vezes ainda tem."

Tobias chutou Matty por baixo da mesa. "Qual é, cara."

"É sério", Matty disse. "Você tinha um pôster do Thomas Kinkade emoldurado", ele continuou, apontando com o garfo. "Eu não conseguiria inventar isso."

"Eu cresci nos anos noventa", Tobias falou. "Eu gostava da Disney."

"Deprimente pra caralho", Matty resmungou no meio de uma garfada.

"Quem é Thomas Kinkade?", perguntei.

"Lembra daquelas pinturas bucólicas de chalés? Que às vezes tinham personagens da Disney?"

"Mais ou menos." Eu não lembrava. Mas estava gostando de ouvir Tobias falar a respeito. Eu sentia uma enorme vulnerabilidade nele — como se houvesse uma parte de seu corpo com uma abertura na pele.

"Minha mãe tinha alguns na parede do quarto. Sei lá.

Eles me lembravam da minha infância." Ele se virou para Matty. "Já terminou?"

"Eu mal comecei", Matty respondeu. "Mas com o tempo ela pode descobrir tudo sozinha."

"Algumas garotas podem considerar meu temperamento sensível um charme", Tobias falou, estendendo o braço por trás do encosto da minha cadeira.

"Ela não", Matty respondeu. "Ela é esperta. Dá para perceber."

Tobias sorriu para mim. "Bom, nisso nós concordamos."

21h10

O restaurante está cheio. Os garçons circulam entre as mesas. O tilintar das taças de champanhe de outra mesa chega até nós. Pessoas comemorando algo.

O jantar é trazido. Um prato fumegante de risoto de açafrão enformado em um montinho perfeito, um delicado tagliatelle com parmesão e sálvia com molho de manteiga, e um filé com um galhinho de alecrim. Tudo é tão arrumadinho e organizado que por um instante lamento não estarmos em um bistrô italiano mais casual, um lugarzinho de esquina onde todo mundo compartilha tudo, derruba vinho na mesa e fala gritando. Esse tipo de refeição tem uma atmosfera bem mais familiar. Jovial. Talvez isso amenizasse o clima. Mas então lembro que Jessica me perguntou aonde eu queria ir no meu aniversário e escolhi este lugar. É uma tradição nossa desde que nos conhecemos — sair para jantar nos nossos aniversários. Muita coisa ficou pelo caminho no decorrer dos últimos anos, mas esse costume se manteve firme. De repente, me sinto grata por isso. Pela alquimia que nos trouxe até aqui, seja qual for.

"Parece delicioso", Robert comenta. "Sabia que eu já vim aqui uma vez com... a trabalho." Ele pigarreia. "Eu lembro que era bom."

"Concordo muito. Vim bastante aqui com a esposa", Conrad comenta.

"As toalhas de mesa eram vermelhas?", Audrey pergunta. "Pelo que me lembro eram vermelhas."

"Todos vocês já vieram aqui antes?", eu pergunto, perplexa.

"Claro", diz Audrey. "Precisava ser um lugar que nós saberíamos encontrar." Ela dá uma piscadinha para mim. Eu me sinto igual a quando cheguei: atordoada pelo que está acontecendo aqui.

Conrad pega sua taça de vinho. "Um brinde!", ele brada.

"A quê?", pergunta Audrey. Ela leva a mão ao colarinho. Está meio quente aqui, ou talvez o vinho tenha começado a fazer efeito. Agora estamos bebendo um Barolo intenso. Discretamente, Conrad pediu outra garrafa.

"Ao nosso jantar juntos", diz Conrad. Ele dá de ombros, como se fosse mesmo um bom motivo para brindar.

"E às novas amizades", Audrey acrescenta.

"Obrigada a todos por terem vindo", eu digo, incapaz de pensar em outra coisa.

"A Sabrina", diz Robert. Ele segura seu copo de água com um misto de orgulho e hesitação.

"Feliz aniversário", diz Tobias.

"Sim!", exclama Conrad. "Feliz aniversário."

Nós brindamos. Ao meu lado, Jessica boceja. "Agora que estávamos chegando a um ponto interessante", ela comenta.

"Tudo isso está sendo muito interessante", responde Tobias. Não consigo saber se ele está sendo sarcástico; seu tom é bem ambíguo. Em parte.

"Eu me arrependo muito", Robert diz. A mesa fica em silêncio. Jessica e Conrad começam a remexer em seus pratos.

"Temos muitas perdas aqui", Audrey responde, estendendo o braço sobre a mesa e segurando a mão de Robert. "Eu também estou sentindo as minhas agora, de certa forma."

"Obrigado", ele diz. Sua voz parece embargada. Ele limpa a garganta.

"Às vezes eu acho que só sabemos o verdadeiro valor das coisas quando as perdemos." Quem diz isso é Conrad.

Audrey se vira para ele. Há ternura em seus olhos. Ela assumiu um ar maternal nos últimos minutos.

"Sendo assim, como a gente pode ser feliz?", pergunta Tobias.

"Ser feliz significa não precisar sempre que as coisas cheguem em seu potencial máximo", Jessica retruca.

"Que deprimente", digo.

"É *verdade*", Jessica diz. Ela ergue os olhos do prato. "Tipo, a minha felicidade não é ter um dia perfeito com o Sumir. É aceitar que um dia perfeito com ele é raríssimo, se é que é possível. A minha felicidade é aceitar que 95% do tempo minha vida está longe de ser perfeita."

Conrad dá uma piscadinha para ela. "Muito bem", ele diz. Ele dá uma garfada em suas vieiras e a leva à boca. "Que delícia", murmura.

Eu aponto com o dedo para os dois. "Vocês dois são as pessoas mais positivas que eu conheço. Na faculdade, você me deu um C porque, nas suas palavras, 'ignorei a beleza da simplicidade e compliquei demais as coisas'."

"Não foi tão positivo para você", Conrad murmura com uma risadinha.

"Não é essa a questão", diz Robert. Ele estava cortando seu filé e põe a faca sobre a mesa.

Eu fico tensa. Ele percebe.

"A beleza da simplicidade, como você diz, aparece em

coisas que nem sempre se alinham. Não existe beleza na perfeição."

"Discordo", responde Tobias. "Para mim, a beleza mais simples está na natureza. E a natureza é absolutamente perfeita."

Ao meu lado, Jessica não se aguenta. "Ah, qual é", ela diz. "Que coisa mais genérica."

"É mesmo? Para mim é uma coisa bem profunda."

"Não", ela retruca. "Não tem nada de profundo nisso. É fácil sentar aqui e ficar falando coisas poéticas sobre a natureza e sua beleza ou sei lá o quê, só que é uma demonstração de imaturidade. Vocês não fazem ideia do que realmente significa ter uma vida simples."

"Então ensine pra gente", responde Tobias. Ele se recosta e cruza os braços. Seu prato permanece intocado.

Sentada aqui, me sinto ser puxada entre os dois. Jessica adorava Tobias, mas não gostava do relacionamento que tínhamos. Pensei que fosse porque ela não entendia. Era muito menos linear que qualquer aspecto da vida dela.

Jessica se endireita na cadeira. "Uma vida simples de verdade significa ter que guardar os sapatos do seu marido quando ele sai, apesar de ter pedido para ele fazer isso umas mil vezes. E não reclamar."

"Isso me soa como conformismo", respondo.

"Conformismo não", diz Audrey. "Acordo."

Nos voltamos para olhar para ela, que abre um sorriso deslumbrante de estrela de cinema. "Eu já fui casada, vocês sabem", ela diz.

"E o que aconteceu?" Quem é fã de Audrey conhece a história de seus dois casamentos. Abuso, talvez? Ciúmes. Arrependimento. Seu caminho doloroso até a maternidade. Dois abortos espontâneos, uma queda de cavalo que a deixou com dores crônicas e permanentes. Para alguém que transmitia uma imagem perfeita, Audrey teve uma vida pessoal bastante trágica.

"Precisei esconder o meu brilho", ela diz, séria. "Não é fácil estar casado com uma celebridade. Mas também não é fácil estar casado com a escuridão. No fim, reduzi tanto meu brilho que ele se apagou."

Conrad ri ao ouvir isso. É uma reação estranha a um sentimento tão genuíno. "Você tem um dom com as palavras", ele comenta, em parte para si mesmo.

Para minha surpresa, Audrey sorri. "Ora, obrigada. Sempre gostei de escrever. Costumava fazer isso de tempos em tempos."

"Eu gostaria de voltar ao assunto de acordo", anuncia Robert. Ele está com a mão levantada, como se estivéssemos em uma sala de aula.

"Mas é claro", Conrad responde.

"Como vocês sabem, em qualquer situação, o quanto ceder o suficiente e o quanto é ceder demais? Como Audrey está aqui para provar, o casamento por si só não é recompensa nenhuma." Audrey assente. Jessica se ajeita na cadeira.

"Acho que é algo que exige esforço", Audrey responde, dando uma pequena garfada no prato, mastigando e engolindo.

"Quanto esforço?" É Robert quem pergunta.

"Não sei", diz Audrey. "Eu sempre cedi muito ou quase nada... e as duas coisas são igualmente prejudiciais."

"Bastante", Jessica fala, um pouco frustrada. "Exige bastante esforço."

"Você mencionou uma esposa", Tobias diz para Conrad. "Você se casou?"

"Naturalmente", responde Conrad.

"Há quanto tempo?"

Conrad descansa o garfo sobre o prato. "Trinta e cinco anos."

"E?"

Conrad fica em silêncio um momento. É um gesto que reconheço. Ele vivia fazendo isso na sala de aula: criando um efeito dramático. "Nunca quisemos pedir o divórcio ao mesmo tempo."

"Isso é brilhante", Jessica comenta. Ela remexe na bolsa e pega um Moleskine meio amassado. "Merda", ela diz, ainda procurando alguma coisa.

Conrad tira a caneta do bolso da camisa e estende para o outro lado da mesa. Tobias a passa a ela por cima de mim.

Ela escreve de forma apressada, arranca a página e guarda no bolso.

"O que aconteceu com a garota que escrevia *o amor é a resposta* no espelho do banheiro?", pergunto.

"O amor ainda é a resposta", ela diz.

"São as perguntas que começam a perder a importância", diz Audrey.

Nós vamos dar certo? Temos como manter isso? Não consigo me imaginar com outra pessoa.

Essas eram as perguntas que eu fazia a mim mesma o tempo todo. Constantemente. Me perguntei essas coisas na porta do restaurante e estou me perguntando agora, com ele aqui, imóvel ao meu lado.

Oito

"Tobias, essa é a Jessica. Jessica, Tobias."

"O famoso Tobias", Jessica falou.

Ele inclinou a cabeça para o lado. "Espero que seja uma fama boa."

"A melhor possível." Jessica está sentada no sofá branco encardido da nossa sala, com as pernas cruzadas e um xale enorme sobre os ombros. Ela o tinha comprado no Novo México em um retiro de meditação que fez no verão anterior. Eu queria ter ido, mas estava sem dinheiro. Para uma semana acampando em silêncio, quinhentos dólares me pareceram muito dinheiro. Ela vendeu o ar-condicionado do quarto para conseguir pagar. E passou quase todo o verão seguinte na casa de Sumir.

"Ah, que alívio", Tobias falou. Olhou para Jessica e depois para mim. "A Sabrina é bem famosa no meu mundo também."

Senti um frio na barriga.

"Pra mim é como se eu já conhecesse você", Jessica comentou. "Fui eu que comandei a expedição para te procurar."

Tobias sorriu, mas eu não sabia ao certo se ele estava achando graça ou se estava confuso. Olhei feio para Jessica ficar quieta. Ele não sabia da nossa incursão à UCLA.

"Gostei daqui", ele falou, mudando de assunto e olhando ao redor. Tentei examinar nosso apartamento pelos olhos dele. O móbile de vidro colorido na janela, a pilha de almofadas marroquinas de meditação, as cortinas que não combinavam — era como entrar em uma loja de cristais, mas sem o incenso. Nós tínhamos muita coisa.

“Nós gostamos também”, eu falei.

Tobias ficou inquieto ao meu lado. Nós tínhamos saído de seu apartamento porque queríamos passar um tempo a sós, e Matty estava a fim de conversar, o que significava que fechar a porta não era uma possibilidade. Eu não me cansava de transar com Tobias. Com meus antigos namorados, o sexo sempre pareceu uma coisa à parte — que tinha um tom e uma reverberação diferentes do restante do relacionamento. Um tempo fora do tempo. Mas com Tobias era uma extensão natural de todo o resto. Ele fazia amor da mesma forma que vivia — com intimidade, intensidade, entrega total. Talvez por isso fosse tão impactante. Toda vez que íamos para a cama eu ficava com a sensação, ainda que só de fundo, de que poderia ser a última.

Naquele momento a única coisa que eu queria era me trancar no quarto com ele. Em geral, Jessica passava os fins de semana com Sumir. Nem me ocorreu que ela poderia estar em casa.

“O que vocês dois andam aprontando?”, Jessica perguntou.

“Estamos de bobeira”, respondi. “Cadê o Sumir?”

Jessica olhou ao redor como se estivesse surpresa com a ausência dele. “Ele precisou trabalhar”, respondeu. “Ei, vocês estão a fim de um brunch?”

Tobias não disse nada. “Nós já comemos”, falei.

Jessica pulou do sofá e enrolou o xale ao redor do corpo. “Está frio lá fora?”

Eu não sabia. Não fazia a menor ideia de como estava a temperatura. Passamos todo o trajeto de metrô até minha casa como dois adolescentes que não têm para onde ir. Frio? Para nós era como se fosse verão, mesmo no fim do outono.

"Um pouco", disse Tobias. "De usar jaqueta, mas não gorro."

Jessica sorriu para ele. "Obrigada." E para mim: "Ele é mais alto do que eu pensava".

Eu revirei os olhos e dei risada; Tobias também riu.

Ela foi para o quarto. "Legal te conhecer!", Jessica gritou por cima do ombro.

As mãos de Tobias procuraram meus quadris. Ele me encostou na parede da sala. "Aqui não", murmurei.

"Então me mostra onde."

Eu o levei para meu quarto. As janelas estavam abertas, deixando entrar o frio e o barulho da rua. A Décima Avenida era uma explosão de ruídos. Fechei uma delas. Baixei a outra até deixar uma fresta de alguns centímetros.

Quando me virei, Tobias estava sentado na minha cama, olhando para a parede que separava as duas janelas. Imediatamente senti um nó no estômago, porque sabia o que ele estava vendo.

"Essa foto", ele falou.

A própria. Um homem de olhos fechados, em meio a uma nuvem de fumaça. Um trabalho dele. A fotografia que comprei, levei comigo para dois alojamentos universitários e trouxe para cá, para Nova York, onde, depois de dois anos, finalmente a tirei de baixo da cama, mandei emoldurar e pendurei na parede. Ela tinha virado meio que um mapa, meio um símbolo, meio profecia. E Tobias sabia.

"Como foi que você..." Mas não era uma pergunta. Não exatamente.

Fiquei paralisada. Não conseguia me mover. Eu não sabia se aquilo era bom, ou se era o fim. E se ele achasse bizarro demais? Isso não era ainda pior que stalkear alguém?

"Acho que eu também estava procurando por você", ele falou. Mas não para mim. Ele falou para a fotografia. Fui até ele. Nós transamos pela primeira vez na minha cama. Parecia que estávamos compensando o tempo perdido. Mas depois, e durante anos, fiquei pensando no jeito como ele disse aquilo, no que chamou sua atenção. *Eu estava procurando por você.*

Talvez estivesse se referindo ao homem. Talvez à fotografia. Talvez não tivesse nada a ver comigo, no fim das contas.

21h16

"Eu gostaria de voltar à noite em que nasci", digo. Estamos falando demais sobre Tobias. Ainda não estou pronta para isso. Começo a perceber que o motivo de ele estar aqui é mais complicado do que eu pensava.

Robert para no meio de uma garfada.

"Claro", diz Audrey. "Vamos fazer isso." Ela está ficando mais confortável nesse papel de facilitadora. Conrad é a figura provocadora; ela, a acolhedora. Eles formam uma equipe, e percebo, pela maneira como ele enche a taça dela e ela passa o pão para ele, que eles abraçaram essa responsabilidade.

"O que você quer saber?", Robert pergunta. Ele baixa o garfo e limpa os cantos da boca com o guardanapo. Esse gesto me parece tão formal, e sinto uma onda de raiva ao pensar em como ele é reservado. Não consigo imaginar esse homem de terno azul e cabelos grisalhos jogando uma cadeira pela janela em um acesso de fúria.

Mas ele fez isso.

"Queria saber se você já estava mal nessa época", digo.

"Sim", Robert diz imediatamente, sem hesitar. "É claro." Ele parece confuso, e vejo Conrad respirar fundo do outro lado da mesa.

"Você quer saber se você foi a responsável", Conrad me diz. "Se foi você que o deixou assim."

"Isso é ridículo", Jessica interrompe ao meu lado. "Como Sabrina poderia ser responsável por isso? Robert era um alcoólatra que deixou sua família na mão. Ela era uma *criança*."

Conrad não diz nada; nem Audrey. É Tobias quem se manifesta.

"Você não tem culpa nenhuma", ele diz, olhando bem para mim. Percebo que está procurando minha mão embaixo da mesa, mas eu a afasto. Ele não sabe? Não lembra que foi ele que me abandonou? Que os dois fizeram isso?

Robert se ajeita na cadeira. "Vou contar tudo que você quiser saber", diz.

Ignoro Tobias e olho para o homem que deveria ter sido meu pai. Vejo bem a semelhança física. Ela fica mais evidente a cada minuto que passo aqui. Talvez seja o fator surpresa que deixa isso tão em evidência. Minha mãe nunca falou a respeito. Nunca disse nada tipo *Você tem o mesmo nariz do seu pai*. Mas com certeza reparou. E com certeza isso a fazia sofrer.

"Onde estão minhas irmãs?", pergunto. *Irmãs*. Que esquisito.

Robert volta a pegar o guardanapo. Ele vai chorar? Não dá para saber. Não sei nada dele.

"Alexandra é ortodontista. Ou vai ser, quando se formar no ano que vem. Daisy estuda cinema. Quer ser diretora e roteirista. Ela é..." Ele se interrompe. Sei que ia dizer *talentosa*. Ele tem o direito de se gabar delas; são suas filhas. Mas isso me deixa meio atordoada — os detalhes, o quanto ele as conhece.

"Onde elas moram?"

"Daisy mora aqui, em Nova York. Alexandra mora na Califórnia. Ela tem um bebê."

"Ela é casada?"

Robert balança a cabeça. "Sim. E ele trabalha muito. A mãe dela ajuda com o bebê."

"Que amor; ela deve adorar a netinha." Audrey diz.

"Neto", responde Robert. "Oliver. Alexandra é uma ótima mãe." Ele olha para mim. "Teria sido legal vocês se conhecerem." Ele não menciona o restante. Não diz: *mas sua mãe não ia deixar*. Não é necessário.

"Acho que ela tinha medo de me dividir com alguém", explico, porque sinto a necessidade de defendê-la. Afinal, ela não está aqui. E foi uma boa mãe — ainda é. Ocupada, sobrecarregada, mas presente em tudo que realmente importa. Comida, proteção, cuidados. Dizia que me amava todos os dias. Em muitos sentidos, eu fui incrivelmente sortuda. Em muitos sentidos, minha vida foi melhor sem ele.

"Compreensível", diz Audrey.

Robert passa a mão na testa. "Ela tinha bons motivos para manter você longe", diz. "Eu não a culpo. É muito importante que você saiba disso."

Fico pensando que quase nunca falamos sobre Robert, minha mãe e eu. Teria sido diferente se eu tivesse insistido? Eu deveria ter feito isso? "Ok", respondo.

"Eu não quero que depois de hoje você fique pensando que ela foi a vilã. O vilão sou eu. Sempre vou ser o vilão. Não tem nada que possa mudar isso."

"Então qual é o sentido de tudo isso?", pergunto. Jogo as mãos para o alto para criar um efeito dramático. Pela primeira vez desde que cheguei, tenho vontade de me levantar e ir embora. Penso seriamente nisso. Também preciso de um cigarro. Vivo tentando parar desde que Tobias e eu terminamos, mas nunca consigo por muito tempo. Não sou uma fumante inveterada, mas em situações de tensão é inevitável acabar apelando para um cigarro. Tenho um maço de emergência no fundo da bolsa.

"Cinco", Tobias diz ao meu lado. Ele se inclina na minha direção e fala baixo, mesmo assim todo mundo escuta.

"Frustrada", digo, quase gritando a palavra para ele.

"Bom", Tobias responde. "E?"

"Triste." Baixo os olhos para o prato. "Tempo."

"Certo."

Conrad e Audrey nos observam com uma curiosidade contida. Não olho para Jessica; ela conhece o jogo. Fico surpresa quando ela sugere uma para mim.

"Memória", ela diz.

"Ok, memória. Só mais uma."

Respiro fundo. Lembro da primeira vez que acrescentamos essa palavra às nossas cinco. Revejo a cena na minha mente. E sei que ele está fazendo o mesmo. Não tenho nem a chance de falar.

"Amor", ele diz. Como se fosse óbvio. Inevitável.

"Ah", exclama Conrad. Ele se inclina para a frente e olha para Tobias, para Robert, para Jessica e para mim, como se estivesse observando árvores passando pela janela de um carro em movimento. "Cá estamos."

Nove

Tobias e eu estávamos aconchegados na escada de incêndio do meu prédio, com um cigarro. Ou melhor, ele tinha um cigarro. Mas estávamos dividindo. Isso foi no começo. Eu ainda não tinha admitido que era fumante.

Tínhamos passado o dia vendo as novidades na McNally Jackson, minha livraria favorita no centro de Manhattan, e depois demos um passeio pelo SoHo. Passamos na Ben's Pizza por volta das onze da manhã, mas depois disso não comemos mais nada, e eram quase sete da noite.

Jessica saiu para jantar com Sumir. Eu estava morrendo de fome, mas ainda não tinha falado nada. Não queria estragar a tarde tendo que pensar em um lugar para jantar, e sabia que na nossa geladeira só tinha pão pita mofado e mostarda.

Depois eu viria a entender que Tobias não ligava muito para comida, apesar de se sair muito bem na cozinha. Sabia fazer uma refeição deliciosa, mas também podia passar o dia inteiro sem comer e só se lembrar disso quando seu corpo começasse a rugir de fome. Ele comia para se manter vivo. Às vezes eu achava que a cabeça dele estava tão ocupada com outras coisas que não sobrava espaço para isso.

Mas eu não era assim. Meu estômago roncou alto. Tobias

se aproximou de mim. "O que foi isso?" Ele deu um tapinha na minha barriga. Senti cócegas.

"Estou morrendo de fome", falei.

"Morrendo é uma expressão bem dramática."

"Não começa", avisei. Eu estava só brincando. Foi uma das nossas primeiras brincadeiras desse tipo, e a familiaridade da irritação fingida me encheu de uma espécie de êxtase.

Tobias acariciou meu rosto e meu beijou. "É meu dever alimentar você. Vamos jantar."

Ele apagou o cigarro e entrou de volta pela janela, estendendo a mão para mim em seguida. A guimba foi para o lixo, e nós tomamos a direção da porta.

"Aonde você quer ir?", perguntei, procurando por um pé da minha bota Ugg que tinha ido parar atrás do banquinho que tínhamos no hall de entrada, se é que podíamos chamar aquele espacinho assim. Era só uma parede, um banquinho com botas embaixo e um cesto para os guarda-chuvas.

Tobias enfiou os pés nos tênis. "Tem um bistrô aqui perto que eu adoro. Queria levar você lá."

Se ele gostava, eu queria conhecer. "Parece ótimo."

Encontrei a bota, mas decidi calçar outra coisa e acabei escolhendo uma sapatilha preta. Estava meio frio para um calçado tão aberto, mas eu estava indo jantar com Tobias... e daí se meus pés ficassem gelados?

Viramos a rua Perry e lá estávamos nós, na esquina com a rua Hudson. Um restaurante charmoso com toldo verde e no máximo dez ou doze mesas. Havia vasos de plantas e um banquinho de vime na entrada.

"Vou pôr nossos nomes na lista de espera", ele falou.

Me sentei no banco. O vento em Nova York é pior do que o frio. Não demorou a me envolver, e fechei minha jaqueta. Desejei ter trazido um gorro. Ou colocado outros sapatos.

Pela janela, fiquei olhando enquanto ele falava com a hostess, uma moça bonita de vinte e poucos anos. Ele falou alguma coisa e ela deu risada, prendendo uma mecha de cabelos atrás da orelha. Ela assentiu com um gesto e Tobias foi até a porta, espichando a cabeça para fora para falar comigo.

"Nós já podemos entrar", disse.

Assim como a hostess, sem dúvida, eu estava encantada por ele — por seu carisma magnético.

Nós entramos e sentamos em uma mesa nos fundos, perto da cozinha. Estava aquecido lá dentro, e estremeci com o choque térmico. "Que quentinho."

"Aham." Tobias ficou folheando o cardápio. Eu já sabia que queria vinho tinto e vieiras. Eram seladas na manteiga e servidas com uma salada de verduras silvestres.

Então, em vez de ler o menu, fiquei observando Tobias. Ele estava lendo como se precisasse de óculos. Estendia o braço, espremia os olhos. Entre nós, a pequena chama da vela dançava.

"Cinco", falei.

Tobias sorriu, mas não olhou para mim. Já fazíamos esse jogo havia um tempo. Era um resumo da intimidade. O hábito pegou, e se transformou em algo mais. Uma espécie de termômetro — uma maneira de checar como estávamos a qualquer momento.

"Comida", ele disse. "Vinho."

"Dã."

Ele levantou os olhos. "Linda", disse, começando a me observar também. Senti meu rosto esquentar.

"Digo o mesmo."

Ele assentiu. "Aqui."

"E."

"E." Ele baixou o cardápio. Apoiou os cotovelos na mesa. "Eu queria falar uma coisa, mas não sei como você vai reagir." Limpou a garganta. Percebi que estava nervoso. Ele demonstrava o que eu também sentia.

"Tenta."

"Amor", ele disse. Ficou calado depois, me olhando. Seu rosto transmitia uma franqueza maravilhosa. Até seus traços pareciam ter se suavizado, como se tivessem se expandido, ficado mais amplos.

"Está falando sério?"

"Não pode mentir nas cinco", ele respondeu, ainda com a mesma expressão suave no rosto. "Essa é a regra número um."

Meus pensamentos me diziam para controlar minha língua. *Só faz algumas semanas. É cedo demais.* Mas o que eu falei foi: "Eu também".

"Já são duas palavras", Tobias respondeu. Apareceram pequenas rugas na lateral de seus olhos. Eu o achei especialmente lindo.

"Não era a minha vez de jogar."

Nós nos inclinamos sobre a mesa, no estilo *A dama e o vagabundo.*

A palavra em que eu estava pensando não era *amor*. Se ele me perguntasse naquele momento, eu diria outra coisa. Teria falado *sorte*. Eu tinha muita sorte. Era muita sorte o destino ter sorrido para mim. Logo eu! Quem eu era para ter uma história como aquela com o universo? Mas lá estava ele, sentado na minha frente. A prova viva e falante de que a minha vida era extraordinária.

"Você faz parecer que estar com ele é meio como ter ganhado na loteria", Jessica me diria mais tarde — bem mais tarde. "Não é assim que os relacionamentos funcionam."

Não? Amar não era o mesmo que se sentir como a mulher mais sortuda do planeta? Que o mundo inteiro estava conspirando para a sua felicidade?

Demoramos mais seis meses para dizer "eu te amo" com todas as letras, mas nem percebi. Àquela altura, as palavras eram irrelevantes. Só importavam no jogo. E nós sempre dizíamos *amor*. Sempre.

Às vezes nós nos provocávamos um pouco. Eu dizia muito a palavra *gosto*. Nós fingíamos que tínhamos esquecido. Mas sempre aparecia. A última palavra, a mais importante.

Faz sentido que o amor fosse a última coisa a ser citada.

Nós jantamos juntos naquela noite. Vieiras e linguini com mariscos ao molho de limão e um hambúrguer. Falamos sobre nosso passado. Mais do que antes. Tobias era do norte da Califórnia. "Adoro chuva", ele falou. "Já te contei isso?"

Queríamos contar tudo. Queríamos ter certeza de que nada ficaria de fora.

Contei a ele sobre o meu pai naquele jantar. Que ele tinha ido embora, e morrido há pouco tempo. Parecia uma coisa importante, então contei. Ele ouviu sem simpatizar nem julgar. Tobias era excelente nisso: em escutar. Se eu tivesse um dia ruim no trabalho ou chegasse encharcada de chuva, Tobias me escutava com a paciência de um professor de poesia. No começo eu adorava isso — ele era tão generoso. Mas com o tempo percebi que gostaria que ele falasse mais. Era como se ele achasse que me conhecer era suficiente para nós dois, só que não era. Eu também queria saber o que se passava dentro dele.

21h23

"Amor", eu repito mais uma vez. A mesa fica em silêncio. Até o tilintar dos pratos e talheres diminui ao nosso redor. Um casal de lésbicas de trinta e poucos anos está na mesa onde Tobias e eu nos sentamos antes e dissemos essa mesma palavra. Elas estão de mãos dadas. Fico me perguntando se é um relacionamento novo, se alguma coisa especial também vai acontecer para elas aqui. A mesa em que estouraram a champanhe está no café e na sobremesa. As pessoas com crianças foram embora.

"É uma palavra desafiadora", comenta Robert.

Jessica se inclina na direção dele por cima de mim. "Não", responde. "É a palavra mais simples do mundo. O amor não é difícil."

É engraçado, eu acho, como ela pode alternar tão rapidamente entre a romântica incorrigível da nossa juventude e a mulher realista que é hoje.

Conrad e Audrey trocam olhares. Ele aponta com o queixo para ela, incentivando-a a falar pelos dois.

"Como eu disse, nunca achei que o amor fosse fácil", Audrey comenta. "Mas também não acho que deveria ser."

Eu me lembro de ter visto um documentário sobre Audrey Hepburn. Ela cresceu na Alemanha durante a Segunda Guerra Mundial. Teve que se esconder dos nazistas; os pais dela eram simpatizantes. Ela acabou desenvolvendo asma em decorrência das condições precárias de vida. Me dou conta de que ela tossiu várias vezes durante nosso jantar. Será que ela sempre fez isso?

O documentário, um especial do canal E!, se não me engano, se chamava *Audrey: The Pain Behind Perfection*. Não era exatamente uma biografia categórica, mas me manteve entretida por duas horas. Havia reconstituições dramatizadas em preto e branco, embora a maioria dos detalhes estivesse errada. O programa supunha que Audrey tinha recebido seus prêmios com modéstia apesar de ter sido uma das poucas pessoas a ganhar pelo menos um Emmy, um Grammy, um Oscar e um Tony, mas ela só ganhou o Emmy e o Grammy depois de morrer. Também falava dos boatos de que ela sofria de distúrbios alimentares, que eram comprovadamente falsos. Sua silhueta era decorrente de má nutrição na infância, não de dietas radicais.

"Como assim?", Jessica pergunta.

Audrey entrelaça os dedos na frente do queixo. Suas feições delicadas são celestiais, e percebo que a iluminação no restaurante mudou — há bem mais velas acesas agora.

"A fama veio fácil para mim. Mas, veja bem, só a fama, não a compreensão do que ela significava."

"Uma distinção importante", Conrad diz.

"Suponho que sim. Acho que no fundo acreditei que eu só poderia ter uma coisa ou outra. Isso certamente não ajudou."

"Amor ou sucesso?", pergunta Tobias.

"Ah, acho que era mais amar ou ser Audrey Hepburn." Ela gira um anel de ouro no dedo médio. Não parece uma aliança, mas talvez seja. Ela parece ser o tipo de mulher que ressignificaria uma aliança mudando-a de lugar. E a usaria como um lembrete, talvez não exatamente do marido. "O sucesso interfere demais na identidade da pessoa", ela continua. "Principalmente em uma profissão em que você se torna o rosto de um produto." Ela levanta a mão para emoldurar o próprio rosto. "Esta sou eu."

Conrad dá um tapinha em seu ombro. "Encantadora, sem dúvida", diz.

Ela recusa o comentário com um gesto. "Eu tentei, mas nunca descobri como eu poderia ser quem eu deveria ser para a minha carreira e, ao mesmo tempo, para um homem. Que queria muito ter uma família. Era a única coisa que realmente importava para mim — sacrifiquei muito da minha felicidade em busca de algo que acreditava que me faria feliz."

"Mas, nos bons relacionamentos, essa é a questão", responde Jessica. "Não se tenta diminuir a outra pessoa. Não deveria ser uma escolha. Um apoia o outro."

Jessica de repente soa muito juvenil. Ingênua, até. Pela maneira como sua voz fica baixa no fim, percebo que ela notou isso também.

"É verdade, Jessica", admite Audrey. "Mas com o tempo às vezes fica difícil manter. Talvez tenha a ver com a minha época também."

"Com certeza foi um agravante", reforça Conrad.

Audrey baixa os olhos para a mesa. Fico com medo de que esteja chorando. A iluminação está fraca demais para eu poder ter certeza. "Por um bom tempo, fui atormentada pela culpa. Achei que poderia ter me esforçado mais, que poderia ter feito mais." Ela olha para mim. De fato, seus olhos estão marejados. "Não quero que você se sinta assim. Não quero que carregue esse peso."

Sinto um aperto no coração ao observá-la. "Posso perguntar uma coisa?", digo. "Para todos vocês?"

"Claro", Conrad responde. Ele ainda está com a mão no

ombro de Audrey e oferece a ela um lenço que tirou do bolso interno do paletó. Ela recusa.

"Por acaso eu..." Não sei direito como fazer essa pergunta. "Vocês tiveram alguma escolha? Sobre vir até aqui ou não?"

"Ah", Audrey diz, ao mesmo tempo que Robert responde: "É claro".

Olho para Tobias. Sei que ele vai dizer o que preciso saber.

"Sim e não", ele diz, o que é quase o mesmo que não.

"Acho que isso variou de pessoa para pessoa", Audrey acrescenta.

"Bom, eu topei logo de cara", Conrad informa. "Não venho tanto à Costa Leste ultimamente como gostaria. Nem encontro antigos alunos. Nem tenho a chance de falar com Audrey Hepburn." Ele dá uma piscadinha para ela.

Audrey faz outro gesto com a mão. "Ora. Acho que ninguém aqui nunca fez nada assim antes." Ela olha para Robert, com a sobrancelha levantada de um jeito atrevido. *Vá em frente.*

"Não", ele diz. "Nunca."

De repente entendo o que está implícito. Ele nunca fez isso antes, o que significa que, desde que morreu, sou a única pessoa que ele viu. Desde que se foi, ele nunca visitou sua esposa, nem Daisy, nem Alexandra, nem conheceu seu neto recém-nascido.

Fico olhando para ele sentado aqui, tenso, nervoso, e me dou conta de que, quando isto terminar e todos voltarem para os lugares de onde vieram, sejam quais forem, vou lembrar deste momento como a primeira vez que baixei a guarda. O primeiro sentimento de ternura em uma relação até então dolorosa.

Algo começou a mudar.

"Robert", eu digo, e ele ergue os olhos imediatamente. "O que aconteceu depois que você me levou para casa?"

Seu rosto mostra surpresa por um instante, como uma luz fugaz que se acende, e depois uma alegria hesitante. É estranho ver isso, em especial aqui e agora. Acabei de pedir para ele falar sobre o começo do fim, como tudo aconteceu, quando ele ficou mal, de que maneira ele foi embora, mas no rosto dele... aquelas sobrancelhas se levantando! Os lábios se entreabrindo, as bochechas se curvando. Era como se eu estivesse pedindo para ele me contar uma história antes para dormir. Aquela da garotinha que tinha um pai de merda que, no fim, nos últimos e mágicos momentos da narrativa, se redime. Isso não parece impossível agora. Parece até algo que eu já ouvi antes.

Dez

Foi um inverno rigoroso, o que eu e Tobias enfrentamos no início do nosso relacionamento. Número recorde de nevascas, temperaturas congelantes, o tipo de clima que torna impossível até sair para tomar um café na esquina. Objetivamente, foi ruim. Mas quando penso a respeito só consigo lembrar da parte boa. Por causa do frio, passamos mais tempo juntos dentro de casa. Nos dias em que nevava, nem saíamos da cama. Quase não encontramos outras pessoas, e eu mal me dei conta disso.

Na época, Tobias trabalhava para uma agência fotográfica comercial chamada Digicam. Ele tinha deixado o trabalho na Red Roof assim que a Digicam ofereceu um emprego de tempo integral como fotógrafo. Era o que ele estava procurando fazia tempo, mandando currículo para todos os lugares, e finalmente teve uma chance.

Era para publicidade, mas prometeram que passariam para ele trabalhos "de verdade" — fotografia autoral — entre uma sessão e outra. Ele ficou animadíssimo. Finalmente teria a chance de criar e ser pago por isso. Mas, com o tempo, descobriu que era uma promessa vazia, e os trabalhos eram quase todos direcionados ao mercado de massa — anúncios de produtos de limpeza e toalhas de papel. Ele estava basicamente vendendo chá emagrecedor.

Mas também não era um emprego dos mais exigentes, e por um tempo isso foi bom — podíamos ficar juntos sempre que quiséssemos. Tobias vinha para a minha casa na quinta-feira e ficava o fim de semana inteiro. Pedíamos pizza e comida chinesa e assistíamos a *24 horas* na televisão da sala quando Jessica não estava — o que era frequente. Ela ficava quase sempre na casa de Sumir, mas, quando aparecia, era sempre divertido. Tobias e ela estavam desenvolvendo uma dinâmica e uma linguagem próprias. Mandavam e-mails um para o outro com matérias sobre torneios de tênis ou música, duas coisas que eu não acompanhava com a mesma intensidade. Mas na maior parte do tempo ela não estava em casa; éramos quase sempre só nós dois. Fico até com vergonha de admitir que achava isso bom. Que mal sentia falta dela.

Principalmente porque agora que Jessica não está mais por perto, por escolha dela, não minha, sinto muita falta desse tempo. Não todo dia. Não o tempo todo. Mas, quando chego e o apartamento está às escuras, quando está passando uma reprise de *Friends* ou um novo episódio de *Real Housewives*, ou quando encontro uma máscara facial ressecada no fundo do armarinho do banheiro, a saudade me atinge como um tapa na cara. Não é por ela *não* estar lá, embora eu sinta isso também. É mais por não poder ligar para ela e falar sobre essas coisas. Eu poderia, claro, mas seria pior, porque sei que ela não está nem aí. O bebê começaria a chorar, Sumir gritaria *Quem é?*, e ela diria *Sabby, e aí? Não posso conversar agora*. A solidão que bateria depois de uma interação como essa — a vida dela tão plena, a minha ainda girando em torno dos mesmos detalhes pequenos — me mandaria direto de volta para a cama.

Apresentei Tobias para David e Ellie naquele inverno. Queria que ele também fizesse parte do grupo.

"Não sei por que ele faz isso", Jessica falou sobre David em uma das raras noites em que conseguimos juntar os seis para um jantar. Tobias, Jessica, Sumir e eu estávamos voltando para casa a pé do East Village. Tobias e eu tínhamos adiado o jantar três vezes. Ele nunca queria sair — *Só preciso de você* — e eu não estava a fim de discutir, mas Jessica tinha insistido.

"Ele merece estar com alguém que o ame de verdade."

"Talvez não seja o que ele quer agora", Tobias respondeu. Estava bem frio na rua, nossa respiração formava nuvens de vapor à nossa frente. Meus dedos estavam dormentes. Mas tínhamos gastado todo o nosso dinheiro no jantar, e, além disso, não estávamos longe de casa.

"Todo mundo quer isso", Jessica disse, com desdém. Tobias deu de ombros, mas percebi que ficou incomodado.

"O último cara parecia legal", Sumir comentou, distraído.

"Não parecia não", Jessica disse. "Parecia igual a todos os outros."

"Talvez ele esteja feliz", Tobias falou. Ele conhecia Jessica, sabia que ela era cheia de opiniões, que queria que tudo fosse do seu jeito. Ele até fazia brincadeiras com ela sobre isso. Fiquei surpresa por ele ter insistido naquele assunto.

"Ele não está", Jessica respondeu, um pouco irritada. Ela também não estava acostumada a ser desafiada. E não gostou.

"Amor, você não tem como saber", disse Sumir. Nós nos entreolhamos. Acabamos ficando com o papel de apaziguadores, que nenhum dos dois queria fazer.

David era amigo de Jessica na faculdade, mas eu desconfiava que, depois que nos mudamos para Nova York e a vida mudou, ele tinha passado a gostar mais de mim. Às vezes me chamava para sair sem ela. Jessica era intensa. Sua busca constante por autoaperfeiçoamento não agradava todo mundo, eu sabia disso. Ela queria ter discussões profundas e intelectuais em bares mal iluminados quando ninguém estava a fim de conversar. Tinha ideias vagas sobre o amor e sobre a vida, mas naquela época falava de forma genérica. Ainda não era casada, ainda não tinha um bebê, não havia se dobrado aos aspectos mais práticos da vida. Ela gostava muito de conversar, e acho que é por isso que senti tanto sua falta nos primeiros anos morando sozinha — Jessica deixou um silêncio enorme.

Na esquina da Washington com a Perry, um homem gritou o nome de Tobias. Nós nos viramos. Um cara de terno — já perto dos quarenta, talvez — estava correndo na nossa direção. Tobias abriu um sorriso.

"Jeremy", ele falou. "Não acredito." Eles se abraçaram. "Como você tá?"

"Bem, o trabalho está uma loucura. Irena ainda está viajando feito doida."

Jeremy olhou para mim, e Tobias me abraçou. "Essa é a minha namorada, Sabrina", disse. Adorei ouvi-lo dizer *namorada*. Podia ficar escutando isso em looping.

Eu estendi a mão. "Prazer em conhecê-lo."

"Nós vamos indo", Jessica me disse. Nós nos abraçamos e acenei para eles quando se afastaram. Tobias ainda estava entretido com Jeremy.

"De onde vocês se conhecem?", perguntei, me virando para eles.

"Jeremy foi meu chefe quando eu estudava na UCLA. A gente trabalhava para Irena Shull. Ela produzia um monte de material sobre viagens. Eu era só um estagiário, mas esse cara aqui me deixava ir às sessões de fotos. Conseguiu até convencer a revista a me mandar para o Zimbábue." Tobias abriu um sorriso enorme. "Não acredito que você ainda está nesse ramo, cara."

Ele estava radiante. Senti um nó no estômago. Nunca tinha visto ele falar com tanta empolgação sobre as coisas que estava fazendo no momento.

"E você?", Jeremy quis saber.

Tobias encolheu os ombros. "Estou trabalhando, o que é bom. Não é nada muito estimulante, mas não tenho do que reclamar." Ele me puxou para mais perto e começou a acariciar minha cintura.

"Vamos sair para beber um dia desses. Você ainda tem meu telefone?"

Tobias assentiu. "Sim, eu te ligo."

Jeremy foi embora, e Tobias e eu voltamos a caminhar de braços dados. "Não sabia que você tinha ido pro Zimbábue fotografar. Que legal." Me senti meio boba falando aquilo. Eu estava tentando arrancar alguma coisa dele. Só não sabia direito o quê.

"Bom, eu não fotografei nada. Mas foi divertido." Ele fez uma pausa. "Jeremy é ótimo. Ele ainda vai ficar bem famoso."

"Você também", eu disse.

Tobias me virou e me beijou. "Eu te amo", disse. "Muito. Não sei o que faria sem você. Você é tudo que eu preciso, Sabrina."

"Eu também", respondi. Não havia palavras para expressar o que sentia. Colei meus lábios aos dele de novo, satisfeita.

Jessica se casou algum tempo depois. A cerimônia foi no restaurante à beira do lago do Central Park. Foi lindo, mas choveu horrores, e eles não conseguiram tirar fotos ao ar livre — o que deixou Jessica visivelmente chateada. Ela desmanchou metade da maquiagem chorando antes do casamento. A maquiadora ficava correndo atrás dela com lencinhos, murmurando: "Isso dá sorte".

David foi com um repórter da *Vanity Fair* que a *Refinery 29* havia colocado na lista de Solteiros Mais Cobiçados por três anos seguidos. O convite dele não incluía um acompanhante, e o pessoal da organização teve que se virar para arrumar um lugar extra na mesa. Ellie não levou ninguém, mas estava começando a sair com um cara que tinha conhecido pelo JDate. Ele era farmacêutico. Os dois ficaram juntos por quatro anos, e ela se casou com um amigo dele, depois do rompimento menos escandaloso de todos os tempos. O ex até foi ao casamento.

Jessica não tem irmãs, só irmãos bem mais novos, então eu fui a madrinha. Nós nos arrumamos na Essex House, no Central Park South. Eu usei um vestido lilás com cintinho de renda que Jessica tinha escolhido. Ela usou um vestido de tafetá cor de marfim salpicado de lantejoulas na cintura. Quando a vi toda arrumada, meus olhos se encheram de lágrimas. Ela estava tão linda, com brincos de safira bem pequenos que tinham sido de sua mãe e sapatos azuis de cetim que ela arrancou no meio da festa, na pista de dança.

"Você devia se casar todo fim de semana!", Ellie cantarolou. Ela estava rodopiando ao som da Robyn, totalmente bêbada. Esse era o problema de se casar aos vinte e poucos anos — todo mundo perdia a linha com o open bar.

Ellie estava a poucos centímetros do DJ quando Tobias a segurou e a virou de volta para a pista. Começou a tocar uma música do Frank Sinatra, e vi os dois dançando juntos. Por cima dos cachos dela, Tobias sorriu para mim, e meu coração se aqueceu — aquele homem me amava e estava cuidando da minha amiga.

Eu fiz um brinde. Aprendi a fazer discursos no ensino médio, e desde então passei a gostar de falar em público. Eu me saía bem nos seminários na faculdade, e me sentia à vontade apresentando livros para os meus chefes nas reuniões. Mas, quando subi no palco e olhei para Jessica, comecei a tremer. Eu queria dizer tantas coisas. Não daria para incluir tudo.

"Você é uma pessoa inquisitiva", eu tinha escrito para ela. "Questiona tudo. Mas nunca questionou Sumir."

Eu falei mais coisas, sobre quando a conheci no primeiro ano de faculdade no alojamento estudantil, sobre quando ela me contou que tinha conhecido alguém — Sumir. Deixei de lado as citações escritas no espelho do banheiro, apesar de ter colocado no discurso. Não sei bem por que fiz isso.

Dançamos ao som dos clássicos da Motown, Tobias e eu dividimos um pedaço de bolo de cenoura (o favorito de Sumir) e depois, quando estávamos no quarto para dois que reservamos no Radisson da rua 32 Oeste (não lembro por que pareceu tão importante dormir em um hotel se nós tínhamos um apartamento a apenas dez quadras dali, mas foi isso o que fizemos), Tobias me perguntou se eu achava que era bom nunca questionar as coisas.

"Aquilo que você falou no seu discurso", ele disse. "Você acha que fazer perguntas é ruim?"

Eu não tinha especificado que sim ou que não. Quando escrevi, fiquei pensando em como me sentia a respeito. Será que acontece de a gente "simplesmente saber" quando conhecemos a pessoa certa? Ou isso depende da personalidade de cada um? Algumas pessoas continuam questionando?

Mas então pensei: eu tinha questões em relação a Tobias. Milhares. Elas nunca me fizeram duvidar dos meus sentimentos por ele. Sabia que ele se perguntava sobre todo tipo de coisa. Conseguiria se estabelecer como fotógrafo? Conseguiria ganhar dinheiro? Nova York era mesmo seu lugar?

Não queria pensar que isso poderia nos afetar diretamente como casal. Não queria pensar se seus questionamentos o levavam a ter dúvidas sobre mim.

"Não sei ao certo", respondi. "Acho que cada um tem seu jeito de lidar com as coisas."

"Com certeza cada um tem seu jeito de lidar com as coisas", falou. Ele pareceu irritado. Nunca tinha visto ele reagir daquela maneira antes, e senti meu estômago se revirando. Eu tinha estrutura para lidar com raiva, mas a irritação parecia o primeiro passo em direção a outra coisa — talvez desgosto, afastamento. A raiva pelo menos é explosiva, passional. A irritação criava uma distância. Eu queria manter a proximidade, queria que continuássemos colados um ao outro. Nosso relacionamento parecia depender disso.

"Você quer me dizer alguma coisa?", perguntei. Me lembro de pensar que se discutíssemos eu poderia colocar a culpa no excesso de champanhe. De manhã eu acordaria e beijaria seu pescoço como se nada tivesse acontecido. Se ele perguntasse *Você ainda está brava?*, eu o beijaria de novo. *Com o quê? A gente falou sobre alguma coisa? Eu bebi demais ontem.*

"Recebi uma proposta de emprego em Los Angeles."

"Quê?"

Tobias me puxou para cima dele. "Eu te amo", ele falou. "Preciso dizer isso antes de conversar sobre qualquer outra coisa."

Minha cabeça estava girando. *Na Califórnia?* "Que proposta?", perguntei.

"Wolfe está precisando de um novo assistente."

Eu sabia o quanto Tobias admirava Andrew Wolfe. Ele era uma espécie de novo Patrick Demarchelier em ascensão, só que mais grunge. Fotografava principalmente modelos ou jovens estrelas do cinema em ascensão com blusas transparentes e roupa de baixo. Era arte. Isso eu entendia. As imagens dele eram etéreas, lindas do jeito como o corpo humano é — simples, perfeitas, atraentes. Mas eu sabia o efeito que Tobias tinha nas mulheres. Percebi na primeira tarde que passamos juntos.

Estávamos em um café, e a garçonete sempre enchia um pouco mais a taça de vinho dele. As pessoas estavam sempre encostando nele. Baristas, mulheres de todas as idades, gays do meu bairro. As pessoas gravitavam ao seu redor como se tivessem encontrado um restaurante 24 horas às quatro da manhã. Era como se ele tivesse um letreiro de neon sobre a cabeça: ABERTO.

Eu sabia que Tobias estava se sentindo cada vez mais embotado no trabalho. Dia após dia fotografando limpa-vidros e aspiradores de pó. A sessão mais empolgante que ele fez em meses era para uma marca de açúcar. Não era isso que eu queria para ele — queria que ele fosse atrás de seus sonhos. Só não queria que isso o afastasse de mim.

"Uau." Foi tudo o que consegui dizer. Estávamos juntos havia dois anos. Parecia muito mais.

"Jeremy?", perguntei.

Ele assentiu.

Eu nem sabia que os dois tinham continuado a se falar.

"Não posso recusar", ele falou. "É muito importante. É a oportunidade que eu preciso para fazer o que quero." Ele acariciou meu rosto. Seus dedos estavam gelados. "E se você fosse comigo?"

Eu tinha acabado de conseguir meu primeiro emprego no mercado editorial. Estava adorando, e queria crescer no ramo. Era bem diferente de trabalhar com a estilista. Finalmente senti que era boa em alguma coisa.

"Não posso", murmurei. Achei que, se abrisse demais a boca, começaria a chorar e não conseguiria mais parar.

"A gente vai dar um jeito", Tobias disse, encostando a testa na minha. Ele estava chorando. "Precisamos dar um jeito."

Dormimos agarrados nessa noite, mas quando acordamos na manhã seguinte tudo mudou. Passamos dez dias brigando. Sempre começava com: por que ele não me contou antes? Acabei descobrindo que já fazia duas semanas que ele tinha recebido a proposta.

"Eu não queria estragar o tempo que a gente tinha juntos", ele falou.

Aproveite o momento.

Percebi que me adiantei um pouco aqui, mas provavelmente é melhor assim. Contentamento estável não costuma render boas histórias.

Naqueles primeiros dois anos eu fui feliz, e a felicidade faz o tempo passar mais rápido. A tristeza deixa marcas. A alegria simplesmente deixa acontecer. Dias e meses acabam passando como um piscar de olhos. Eu estava feliz como nunca na vida. As coisas mudaram. Jessica e eu saímos do apartamento. Tobias e eu fomos morar juntos. Ela ficou noiva. Depois se casou. E então ele foi embora. Nossa relação tinha dois anos, ou seis, se contarmos Santa Monica.

O que eu não sabia na época era que ainda estávamos só na metade do caminho.

21h31

"Os seis primeiros meses são os mais difíceis", Conrad comenta. "Lembro de quando levamos nossa filha para casa, minha mulher mal me deixava encostar nela. E ela só chorava." Ele faz um sinal para o garçom trazer mais vinho. Seu rosto está vermelho, e ele leva a mão ao peito quando ri.

"Um turbilhão", acrescenta Audrey. "Amamentação e noites sem dormir." Ela lança um olhar solidário para Jessica, que assente.

"Já estou saindo dessa fase." Ela ainda não havia se recuperado totalmente do seu constrangimento, dá para perceber. Jessica se acanha com facilidade, mas não por muito tempo. Sei que ela vai voltar a participar da conversa logo.

"Qual é a idade do bebê?", Audrey pergunta.

"Sete meses", Jessica responde. "Apesar de ele parecer que já tem dois anos." Ela olha para mim em busca de uma confirmação.

"É verdade", digo. "Ele é enorme! E os pais são tão miudinhos."

Jessica ri. "Não sei a quem ele puxou. Às vezes brinco com meu marido que tive um caso com um jogador de futebol americano."

Quando Jessica começou a falar *meu marido*, achei aquilo

uma loucura. Tínhamos vinte e cinco anos, éramos crianças. A decisão mais importante que eu tinha tomado na vida foi comprar um novo filtro Brita.

"Mas Conrad tem razão", Jessica diz baixinho. "Eu não sei direito o que estou fazendo."

"Nós estávamos felizes", diz Robert, voltando ao assunto. "Você era a bebê mais linda que já tínhamos visto. Sua mãe dizia que você parecia uma boneca."

"Ela ainda me chama assim", respondo. *Bonequinha*. Sempre achei que era só um apelido carinhoso.

"Boneca Repolhinho", comenta Jessica. "Dá para entender por quê."

"Sardentinha", diz Tobias.

"Você gostava das minhas sardas", digo. E é verdade.

Ele levanta as sobrancelhas. "E por acaso critiquei suas sardas?"

Estamos flertando? Por que é sempre tão fácil voltarmos a isso?

Os hábitos transformam o amanhã em ontem.

"Você era linda", continua Robert. Ele limpa a garganta e toma um belo gole de água. "Eu estava trabalhando. E ganhava o suficiente para a sua mãe não precisar voltar ao emprego dela depois da licença-maternidade. As coisas estavam difíceis, mas sob controle."

Conrad ajeita o caderninho no bolso. Audrey olha de maneira encorajadora para Robert. Dá para perceber que ele faz um esforço para continuar.

"O que aconteceu foi que ela engravidou de novo."

A mesa fica em silêncio. Só Audrey comenta, "Ah, nossa".

"Minha mãe nunca me contou isso", respondo, como se quisesse dizer com isso que ele está errado. Outra gravidez?

"Ela estava empolgada, claro. Já estava de três meses quando descobriu. Não foi planejado. Você tinha três anos e dava um trabalhão."

Fico olhando para Robert, e de repente ele parece mais velho. Como se não tivesse mais a idade que tinha quando morreu, mas a que teria se ainda estivesse vivo.

"No exame pré-natal de cinco meses, os batimentos não foram detectados. Era uma menina." As frases curtas vêm uma depois da outra. Parecem me atingir bem no peito como pedras batendo na superfície da água. Não por causa da perda deles, ocorrida tanto tempo atrás. Mas por terem omitido a história de mim. A página fundamental que tinha sido rasgada do livro.

"Então você começou a beber para esquecer a dor?", pergunto. Porque, seja como for, acabamos chegando até aqui. Isso não mudou.

"Nós tivemos todos os problemas que um casal enfrenta em uma situação como essa. Eu já bebia, como falei antes. É um problema para toda a vida. As circunstâncias só pioraram as coisas."

"É compreensível", diz Audrey. Percebo que Jessica olha feio para ela, e sinto uma onda de afeto pela minha melhor amiga.

"Meu maior arrependimento é não ter valorizado o que nós tínhamos. Perdi de vista que ainda tinha você. Fiquei tão ocupado lamentando uma coisa que ignorei a outra."

Baixei os olhos para o prato. Meu risoto parece frio e plastificado, como os pratos de mostruário que colocam na frente das cantinas de Little Italy. Fico com o estômago embrulhado só de olhar.

Uma mão pousa no meu ombro. Sei que é a de Tobias. Me pergunto se essa sensação vai perder o efeito algum dia. Do toque dele, como agora. Como se minha pele fosse um tipo de uma espuma que retém o toque por algum tempo.

"Ela pediu que eu fosse embora, mas eu teria ido de qualquer forma", Robert diz. "Depois de um ano, ela mal suportava ficar no mesmo ambiente que eu. E eu tinha virado um monstro."

"Mas você procurou ajuda. Depois de abandonar a gente."

Robert fecha os olhos e abre em seguida. "Logo depois, sim. Aluguei um quarto num hotel de beira de estrada. A mulher da recepção simpatizou comigo, ainda bem. Foi ela que me encontrou no armário, louco de heroína, três dias depois que cheguei. Por algum milagre, ela conseguiu uma clínica para mim. Eu mal consigo me lembrar dessa época."

Minha face começa a latejar. Como se tivesse brasas atrás dos olhos. Isso acontece às vezes. Tenho dores de cabeça brutais, debilitantes. Quando estava na faculdade, precisava ficar deitada no escuro, às vezes por vários dias, com uma compressa fria no rosto. Agora esse problema está melhor, mais administrável, só que nunca sei quando uma crise pode ser forte a ponto de me derrubar. Fico rezando para não ter uma agora.

"Dor de cabeça?", pergunta Tobias. Está falando mais baixo, na altura que usava de manhã quando me levava café na cama ou queria transar. Uma voz doce e lânguida. Como se tivéssemos todo o tempo do mundo.

Faço pressão com o polegar entre as sobrancelhas e solto o ar com força. "Preciso tomar um ar", aviso. Se eu não quiser que a coisa saia do controle, preciso me movimentar.

Afasto a cadeira e me levanto. Conrad faz o mesmo. "Eu acompanho você", se oferece. "Vamos lá para fora."

Quero ficar sozinha, mas não sei se isso é uma opção, e a maneira como ele fala — paternal, categórico, como o professor que é — me leva a aceitar. Pego minha bolsa para levar comigo.

"Tem certeza de que vocês podem..." Robert parece preocupado. Ele sabe que ainda não terminamos.

"Jessica foi ao banheiro", diz Conrad. "Está tudo bem." E ponto-final.

Conrad abre a porta para mim, e nós saímos. Está frio do lado de fora, e me arrependo de não ter trazido um casaco. Ainda não nevou, mas acho que pode nevar. Não hoje, mas em breve. As decorações natalinas estão por toda a parte. A cidade está com o clima jovial e alegre que sempre surge entre o Dia de Ação de Graças e o Ano-Novo. Pode ser a época mais solitária, o mês de dezembro em Nova York.

Ajusto meu cachecol. Enfio a mão na bolsa e procuro o maço de cigarros. Ofereço um para Conrad. Só comecei a fumar sozinha depois que Tobias foi embora, e nunca mais parei.

"Que se dane", ele diz. "Fumar agora não deve ter maiores consequências."

Nós inalamos e exalamos ao mesmo tempo. Uma nuvem de fumaça nos encobre.

"Como você está?", Conrad pergunta.

Ele está com os braços cruzados, olhando para mim com a cabeça inclinada. Ele balança o quadril sutilmente de um lado para o outro, e sou invadida pela saudade de suas aulas — do mentor que encontrei quase dez anos atrás.

"Originalmente era para ser Platão, sabe", digo.

Ele ergue a sobrancelha, como quem diz *continue*.

"Na lista", explico, dando mais uma tragada.

Ele assente com a cabeça quando lembra de que se trata. "Tá aí uma coisa que eu teria gostado de ver."

"Eu também", concordo. Dou risada, fazendo toda a fumaça ser expelida dos meus pulmões de uma vez.

"Por que você trocou?", ele pergunta.

"Depois que a aula terminava, eu sempre sentia que você tinha mais a me ensinar." Sinto vontade de dizer algo mais. Sobre ele ser um homem adulto que me dava apoio, que eu nunca tinha tido aquilo antes, não de verdade. Fico tentada a falar que tenho saudade dele, mas tenho medo de ser mal interpretada.

"E então, como você está?", ele repete depois de um instante. "Eu vou continuar perguntando."

"Não muito bem", respondo. Esfrego minha têmpora e o meio das sobrancelhas com o polegar. Dou mais uma tragada. Seguro a fumaça. "Estou com dor de cabeça", digo ao expirar.

"Entendo."

"Eu tenho às vezes."

"Eu lembro de uma época no meio do semestre em que você ficou de cama justamente por esse motivo."

"Com centenas de alunos, você se lembra disso?"

"Sim", ele diz com uma risadinha.

"Era mentira", confesso. "Eu estava muito atrasada na sua matéria. Tinha faltado a metade das aulas."

Conrad ri. "Então posso saber o que eu estou fazendo aqui?"

A fumaça dança no ar noturno. "A questão não era sua aula", digo. "Eu adorava você."

Olho bem para ele, que assente. Ele sabe. De repente, Conrad parece entender tudo. O que aconteceu, como isto vai terminar. Então eu pergunto.

"O que vai acontecer lá dentro?"

Ele bate as cinzas no chão. Fico observando elas caírem. "Acho que você vai lembrar de algumas coisas."

"Tipo que eu amo o meu pai?"

"Talvez." Ele dá uma tragada. "Isso pode ajudar."

"Pode doer", retruco. "Afinal, ele está morto."

Conrad ri. Mais uma bela gargalhada. "E?"

Olho lá para dentro. Jessica está inclinada sobre a mesa, mostrando a aliança de casamento para Audrey. Robert está dizendo alguma coisa para Tobias.

"E..."

Se nosso relacionamento pudesse ser descrito em uma palavra, seria essa. Nunca um ponto-final. Nunca uma coisa só. Sempre um *e* se? *E* em seguida? *E* depois? Sempre havia uma sequência.

"Eu não sei", continuo.

"Ora, isso não é verdade."

Tobias se inclina na direção de Robert. Ele tira alguma coisa do bolso. Um relógio. Me aproximo um pouco mais do vidro. Robert o segura na mão. É um relógio de bolso de ouro, que dei para Tobias no seu aniversário de vinte e nove anos. Era do meu pai. A única coisa que eu tinha dele, que ele havia usado, e dei para Tobias. Era um relógio com bússola. Lembro de ter dito: *Para que a gente sempre consiga encontrar nosso caminho de volta.*

Ele o trouxe hoje à noite.

"Nós ainda não terminamos", respondo.

Conrad dá mais uma tragada e apaga o cigarro na calçada. Ele abre a porta para mim. São apenas nove e meia. A comida ainda está na mesa. Mas não é essa a questão.

Ainda não terminamos. Estamos aqui para encontrar o caminho de volta.

Onze

Tobias foi embora dez dias depois. Ele se mudou com um Prius usado e detonado que tinha comprado com um adiantamento que recebeu e foi dirigindo até a Califórnia com apenas três caixas que eu ajudei a empacotar. Eu até escrevi os rótulos delas. *Roupas. Objetos diversos. Arte.* Ele me beijou e disse que me ligaria assim que fizesse a primeira parada. Pedi para que não ligasse. Tínhamos discutido sobre isso ao longo daquela semana. Ele queria que continuássemos juntos; eu preferia terminar. Não que eu não quisesse ficar com Tobias. Eu queria com todas as células do meu corpo me agarrar definitivamente a ele. A questão é que eu não queria me arriscar a passar pelo tipo de mágoa que eu sabia que ia acontecer. Quando meu pai foi embora, minha mãe trocou as fechaduras e foi isso. Eu sabia que tinha sido programada para agir assim nesses casos. Não sabia lidar de outro jeito. Precisava cortar ligações.

"Você vai me visitar no mês que vem, e eu venho para cá no seguinte. Vamos alternando."

Eu imaginava o pior, sem parar. Quando eu ligasse e Tobias não atendesse, logo pensaria que ele estava na praia com uma gostosa de biquíni. Não achava que ele me trairia, mas não queria correr o risco de passar por isso. Se eu terminasse antes, ele estaria livre para fazer o que bem entendesse na Califórnia, o que talvez me poupasse um pouco do sofrimento. O que eu disse foi: "Esse lance de namoro à distância não funciona. Se for mesmo para ser, vai ter que ser mais pra frente".

"Você não acredita nisso de verdade", ele respondeu. "Por que está fazendo isso com a gente?"

Ele tinha razão, eu não acreditava. Era uma coisa que Jessica diria, que ela escreveria no espelho embaçado do banheiro. Eu era mais do tipo *pense primeiro em si mesma*. Afinal de contas, ele estava fazendo o mesmo. Estava indo embora. E eu me ressentia por ele me responsabilizar por ter que fazer aquilo.

"Acredito sim", falei.

Tobias balançou a cabeça. "Então vem comigo." Ele ainda não tinha desistido dessa possibilidade. Era essa a resposta dele, todos os dias. *Vem comigo. Vamos fazer isso juntos. Você vai arrumar um ótimo emprego lá também.*

"Para", eu disse. "Não posso. Você sabe. Eu tenho uma carreira também, esqueceu? O lugar para quem está no mercado editorial é Nova York."

"Claro que não esqueci." Ele passa a mão pelo cabelo. Estava comprido na época. Cheio de cachos. "Mas quero você comigo. Quero estar do seu lado. Quero dormir com você e fazer seu café de manhã e estar na sua vida. Este é só um capítulo. Na próxima vez, podemos ir para onde você precisar."

"Preciso que a gente fique aqui", respondi.

Jessica achou que eu estava louca. "Você o ama", disse. Estava inconformada. Até o instante em que saí do apartamento, ela tentou me convencer a mudar de ideia. Estávamos no meu quarto, cercadas por um monte de coisas minhas — descartadas no processo de arrumar as dele. "Você vai se arrepender, tenho certeza. Fica com ele."

"Não posso", respondi. "Namoro à distância nunca dá certo." O que eu queria dizer com isso é: *Me recuso a ser abandonada. Me recuso a ser abandonada de novo.*

"Você não sabe!" Ela jogou um travesseiro com força na minha cama. "Você está com ele. Com *ele*. Sabrina, eu estou falando sério. Não desiste."

Mas eu desisti. Não fui junto, e nunca pedi que ele ficasse. Ao lado do carro, com o sol do verão batendo no meu rosto coberto de lágrimas, as palavras me atravessavam de tal forma que eu tinha certeza que ele poderia lê-las na minha pele. Mas só saiu um: "Por favor". O que ele entendeu foi: *Vai logo, e não me pede mais para ir com você.* O que eu realmente queria dizer: *Fica.*

Ele me abraçou. Choramos um no ombro do outro. Eu não sabia como dizer adeus, então não disse.

Voltei para dentro. Fechei as cortinas e deitei no chão do quarto.

"Eu não sei como te ajudar com isso", Jessica falou. Ela também estava chorando.

"Não precisa."

Ela saiu. Estava com a lua de mel marcada, e na semana seguinte recebi mensagens dela o tempo todo. *Curtindo uma praia!* Sumir deitado em uma espreguiçadeira perto do mar. *Bem tropical.* Um prato cheio de melão e plumérias. Eu sabia que era uma tentativa de restabelecer a normalidade, de dar um tempo da tristeza. E respondi no mesmo tom. *Legal. Que fofo. Amei.* Estávamos fingindo.

Nessas primeiras semanas, a única pessoa com quem me abri foi Kendra, minha colega de trabalho. Nós éramos assistentes editoriais, e tínhamos sido contratadas com um mês de diferença. Trabalhávamos para um selo chamado Bluefire, que publicava principalmente livros para jovens leitores. Kendra era fã de ficção YA desde sempre, e aquele era seu emprego dos sonhos. Eu estava desesperada para ir para o setor de não ficção, mas todo mundo me dizia que, uma vez dentro, transitar entre os departamentos ficava mais fácil. Passávamos a maior parte dos nossos dias agendando reuniões e lendo as pilhas de originais que nossos chefes recebiam dos agentes literários. Kendra era muito comprometida, empenhada em descobrir o novo Harry Potter. Nós almoçávamos na sala de reuniões, trocando manuscritos, comendo bagels e tentando encontrar uma forma de crescer dentro da editora. Eu teria aproveitado muito mais tudo isso, se não estivesse com o coração totalmente em pedaços.

"Você precisa começar a sair", Kendra me disse. "Você sabe que o melhor jeito de deixar alguém pra trás é ficando embaixo de outra pessoa."

"E se eu gostar de ficar por cima?", perguntei.

Kendra arregalou os olhos. "Uma piada! Ela está viva!" Kendra segurou a barriga, que era cheinha como todo seu corpo. Seus cabelos eram pretos e lisos e seus olhos, os mais verdes que eu já tinha visto, com exceção dos de Tobias. Usava óculos com armação preta de arame e camisas masculinas. Levava para o trabalho barras de Toblerone, que sua mãe lhe dava às dúzias. Eu estava sempre me entupindo de açúcar.

"Ainda não posso começar a sair", respondi. "Faz só duas semanas." Não tinha recebido notícias dele desde sua chegada à Califórnia. Mas fui eu que quis assim, e ele respeitou. Viver sem Tobias era como ter uma espada cravada no peito repetidas vezes. Sempre havia alguma coisinha, como as meias dele que encontrei no cesto de roupa suja, ou a panela Le Creuset que compramos em uma venda de garagem e usamos para fazer chilli no inverno. O apartamento inteiro me fazia pensar nele. A cidade inteira.

"Uma amiga minha da faculdade vai dar uma festa", Kendra falou. "No Harlem. Às oito. Podemos tomar uma margarita depois do trabalho e ir para lá. Ficar só uns vinte minutos." Ela se inclinou para trás e olhou bem para mim. "Pro caso de, sabe como é, se você se matar, eu poder dizer que tentei."

Nós fomos. Era uma festa pequena — dez pessoas ao redor de um sofazinho e um pufe. Bebemos vodca sem gelo e comemos biscoitinhos salgados, e eu fiquei lá por três horas. Tinha um cara chamado Paul que trabalhava dois andares acima do nosso, no departamento de design da Random House. Era baixinho e de riso fácil. No fim da noite, deixei que ele me desse um beijo. E depois deixei que ele fosse meu namorado por quase dois anos.

21h42

Conrad e eu voltamos à mesa, e o jantar está indo a todo vapor. Robert não falou mais nada; ainda estamos processando o que ele disse. Mas Conrad volta ousado — claramente revigorado pelo ar noturno.

"Mais vinho, *mon cherie?*", ele pergunta para Audrey.

Ela assente, com o rosto corado. Seus olhos se fixam nele enquanto serve a bebida, e acho que talvez Audrey Hepburn esteja desenvolvendo uma quedinha pelo professor Conrad. Coisas mais doidas já aconteceram esta noite.

Fico mais atenta a Tobias à minha esquerda. Preciso entender o que deu errado, analisar a situação, para que possamos encontrar o caminho de volta um para o outro. Me sinto impelida a dizer isso a ele, para fazermos isso juntos, mas ainda não sei se já é a hora. Eu me viro em sua direção. Ele está cortando uma vieira com a cabeça baixa, do jeito que sei que ele tem quando não está pensando em nada. Tobias nunca foi muito bom em ser multitarefa.

"Ei", digo, em um tom baixo, só para ele ouvir.

Ele se vira para mim como se estivesse surpreso com a minha presença. "Oi. Tudo bem com você?"

Nós dois caímos na risada. É uma coisa meio insana para se perguntar.

"Isso é muito estranho", digo.

"É?", ele pergunta.

"Claro que sim. Estamos dividindo uma mesa com Audrey Hepburn."

"Ah." Ele volta a se ocupar com a comida.

Eu mantenho a voz baixa. "Que foi?"

"Nada", responde. "Pensei que você estivesse falando sobre nós."

Eu engulo em seco. "Isso também".

Ele sorri para mim. Esse sorriso que sempre me deixava sem reação. Que tirava minha sanidade e minhas roupas até no meio de uma briga. Talvez ele saiba. Talvez ele também ache que estamos aqui para ficar juntos de novo.

"A comida é mesmo incrível", Conrad diz, um pouco alto demais. "Realmente divina. Alguém provou a massa?"

Jessica faz um gesto com a mão. Está enrolando o tagliatelle com um garfo sobre a colher. "Muito boa", ela fala entre um bocado e outro.

"Nós deveríamos ter feito isso antes", Audrey comenta, e a mesa inteira cai na gargalhada. Olho ao redor e penso, pela primeira vez, que talvez isso não tenha sido uma ideia tão ruim, no fim. Que talvez alguma coisa importante possa e vá acontecer aqui hoje à noite.

"É bem verdade, é bem verdade", Conrad concorda. "Audrey, que tal um pouco de entretenimento? Afinal, estamos em um jantar."

"Entretenimento de que tipo?"

"Lembra que, quando você era pequena, sua mãe costumava cantar 'Moon River' para você?", Robert me pergunta, como se tivesse acabado de se lembrar. Ele tem empolgação na voz.

"É mesmo?", Audrey pergunta.

"Eu adoro essa música", Jessica diz. "Nós a dançamos no nosso casamento."

Lembro de Jessica e Sumir se requebrando ao som de Shania Twain, mas não falo nada. Sei que ela não está mentindo, pelo menos não intencionalmente. Apesar dos julgamentos e opiniões, Jessica não tem uma memória muito boa.

"Era a nossa favorita", Tobias diz. Sob a mesa, sua mão procura a minha. Ele aperta uma vez e solta em seguida. Mas o contato foi feito. Meu corpo começa a faiscar.

"Cante para nós", Conrad pede.

Audrey fica vermelha. "Ah, não, não. Eu não conseguiria. Tem outras pessoas aqui."

"Bobagem", Conrad diz. "Ninguém vai se incomodar."

Ele fica de pé e bate palmas. O restaurante fica em silêncio. Os garçons interrompem o serviço. As conversas cessam. Taças de vinho ficam suspensas no ar antes de ser levadas à boca.

"As senhoras e os senhores se incomodariam se minha querida amiga Audrey aqui cantasse uma musiquinha?"

Como se tivesse sido dado um sinal, todos voltam ao que estavam fazendo. O som de fundo se estabelece ao nosso redor, e as pessoas recomeçam a comer.

"Está vendo?", ele diz. "Não é incômodo nenhum."

Audrey fica em silêncio. Vejo que ela está pensando a respeito. E espero que aceite. Quero ouvi-la cantar. Acho que seria importante, de certo modo. A presença dela aqui não é só um capricho, tem outros motivos também. Audrey, para mim, representa uma época em que a vida era melhor. Meus pais juntos, e Tobias e eu, felizes e apaixonados.

"Vou desafinar", ela diz. "Não faço isso há tanto tempo."

"Tenta", Conrad diz, apertando o ombro dela em sinal de apoio.

Então ela começa. Sua voz é angelical, e não mais que um sussurro, mas não sei como é ainda mais expressiva e autêntica do que no filme, ou na gravação que tenho no iTunes. Tenho a impressão de que as pessoas ao redor nem conseguem ouvir. É como se, assim que ela começa a cantar, estivéssemos em nossa própria ilha no meio do mar.

"*Moon river, wider than a mile...*" Enquanto ela canta, sou transportada para um momento ocorrido muitos anos atrás — antes de Tobias ou de Jessica ou do professor Conrad. Somos só eu e Robert e Audrey. A voz dela é a própria memória. Um silêncio se instala depois que ela termina, como uma nuvem de alguma coisa delicada, como teias de aranha feitas de açúcar ou ouro, pairasse sobre a mesa. Até Conrad parece ter ficado sem palavras. É Robert quem fala primeiro.

"Foi maravilhoso", diz. "Obrigado."

Ela estende a mão por cima da mesa e segura a dele, e vejo, pela primeira vez na vida, meu pai chorando. Nós baixamos a guarda ao ouvir a voz de Audrey, todos nós. O que vai nos atingir depois disso, ainda não sabemos.

Doze

O relacionamento com Paul era ok. Legal, até. Eu sabia que ele estava mais envolvido, mas ele não demonstrava. Nos víamos duas vezes por semana e uma vez nos fins de semana. Seguimos nesse ritmo semana após semana — nunca mais do que isso, raramente menos. Conheci os pais deles, mas só porque estavam na cidade e ele tinha conseguido ingressos para um jogo dos Mets. Ele não cozinhava, nem eu, então pedíamos comida. Gostávamos dos mesmos programas de televisão e dormíamos até tarde aos domingos. Ele disse que me amava depois de sete meses, no restaurante italiano da rua Carmine que frequentávamos. Eu também falei.

De vez em quando recebia notícias de Tobias. Ele me mandava e-mails com links para matérias que eu podia gostar — nunca sobre seu trabalho. Eu respondia com uma ou duas linhas. "Obrigada", ou "Gostei disso", ou "Espero que você esteja bem". Nós não fazíamos perguntas.

Fui jantar com Matty depois de um ano. Ele me escreveu perguntando se queria encontrá-lo. Só o tinha visto uma ou duas vezes desde a mudança de Tobias, e sentia sua falta — ele também era meu amigo.

Nos encontramos no restaurante indiano perto do antigo apartamento deles, aonde já havíamos ido várias vezes. Tobias não morava mais lá, claro, nem Matty, mas fomos lá mesmo assim. Uma peregrinação ao passado. Ele apareceu com um exemplar da *Rolling Stone*.

Pedimos frango com curry, lentilha amarela e arroz com açafrão. Depois de comermos um pouco, perguntei sobre Tobias.

"Ele está se saindo muito bem", Matty falou baixinho, como se estivesse tentando não me assustar, medindo minha reação. "Acho o trabalho dele muito bom."

Nenhuma mulher foi mencionada, e me senti grata. Não sei ao certo se saberia lidar com isso.

"Sei que ele vai me matar se souber que te contei", Matty continuou. "Mas eu queria que você visse."

Ele me entregou o exemplar da *Rolling Stone* que tinha ficado sobre a mesa durante o jantar como uma espingarda pendurada acima da lareira. Quem estampava a capa era o presidente Obama. Abri a revista e fui para a página marcada, que era a matéria principal daquela edição.

"Tá brincando", falei.

"O crédito é do Wolfe", Matty disse. "Mas foi Tobias que fez todas as fotos."

Meu coração se inflou de orgulho e então se apertou de tristeza porque ele não tinha me contado. Isso era o que ele mais queria no mundo, e eu não estava ao seu lado para compartilhar com ele. Um pensamento passou pela minha mente: de que poderíamos ter o que queríamos, só que não juntos.

Matty percebeu que fiquei abalada. "E o Paul, como vai?", quis saber. Lembrei que ele tinha conhecido Paul no meu aniversário, alguns meses antes, e que os dois se deram bem.

Eu limpei a garganta. "Está bem", falei. Era verdade. "Vamos para Portland na semana que vem."

Íamos passar um feriado prolongado por lá, explorar a cidade e fazer algumas trilhas. Já tínhamos feito todas as reservas nos restaurantes.

"Legal", ele disse. "Gosto muito de lá."

"Eu nunca fui, mas Paul falou que também vou gostar."

Olhei para o meu prato. Matty estendeu a mão e tocou o meu braço.

"Ei", ele disse. "Eu achava que vocês dois tinham sido feitos um pro outro, sabe, mas talvez seja melhor assim, né?" Fez uma pausa. "Ele está se saindo muito bem, e acho que você também."

Pensei no meu trabalho, no meu relacionamento. "Sim", falei. Peguei a revista sobre a mesa. "Que incrível. Obama. Uau."

Matty sorriu. Parecia orgulhosíssimo. "Muito legal. Ele vai fotografar o Harrison Ford na semana que vem."

Depois desse jantar com Matty, passei a pensar cada vez menos em Tobias. Saber que ele estava indo bem, que não tinha se mudado para nada, que passamos por tudo aquilo por uma razão, me ajudou. Eu gostava de Paul, quem sabe até o amasse. Estava feliz. E estava começando a achar que talvez tivesse *mesmo* sido melhor assim, quando Tobias voltou. Era Natal. Depois de vinte e três meses e seis dias em LA, ele apareceu no meu apartamento.

Eu alugava o quarto extra para uma menina chamada Rubiah, que fazia doutorado em física em Columbia e nunca estava em casa. Era um dinheiro fácil, e eu gostava da companhia eventual.

Não sei por que ele achou que me encontraria em casa, mas eu estava lá. Não tinha ido com Paul visitar a família dele. Minha mãe e meu padrasto decidiram passar o fim de ano em um cruzeiro. Ela me convidou para ir, mas eu fico enjoada no mar. Pessoas que têm enxaqueca devem manter distância de barcos. Então resolvi passar o fim de ano sozinha.

Fiz macarrão com queijo e assei cookies. Estava me preparando para ver um especial do History Channel que Rubiah tinha gravado, sobre o fim do calendário maia. Estávamos em 2014, e diziam que o fim do mundo não foi em 2012, como esperado, mas que ainda assim viria.

Ele tocou o interfone. Eu escutei sua voz. "Oi", ele disse. "É o Tobias. Posso entrar?" Assim, do nada. *Oi, é o Tobias. Posso entrar?* Como se o mundo não estivesse acabando. Como se já não tivesse acabado.

Esperei na porta enquanto ele subia. Meu coração batia tão forte que eu não conseguia nem enxergar direito. Ele correu escada acima, dois degraus por vez. Sempre fazia isso. Apareceu com uma mala. "Acabei de sair do avião", explicou.

Era uma ocasião que exigia mais. Exigia explicações. Datas, horários, planos. Nós quase não nos falamos naqueles vinte e três meses. E nenhuma vez nos últimos sete. Mas só consegui perguntar: "Como você sabia que eu ia estar em casa?".

"Resolvi arriscar", respondeu.

Ele segurou meu rosto. Eu nem tentei resistir. "Feliz Natal", ele disse.

"O que você está fazendo aqui?", perguntei.

"É onde você está", ele me falou.

"E o Obama?"

Ele levantou as sobrancelhas para mim. Estava sorrindo. "Acho que o Obama está lá na Casa Branca", disse.

Eu balancei a cabeça. "Pensei que você estivesse se saindo bem no trabalho."

"E estava mesmo", ele respondeu. "Mas sem você não era suficiente."

A única coisa que eu sabia era que sentia falta dele. Quando o vi ali, parado no mesmo lugar onde Paul havia estado tantas vezes nos dois anos anteriores — entrando, saindo, sem hesitar —, estava vendo tudo o que me fazia falta. Era como se a minha vida naqueles dois anos tivesse sido um filme mudo em preto e branco, que ele inundava agora de sons e cores — dando um novo sopro de vida. Meu destino tinha voltado.

Eu o beijei, porque queria saber se ele era real. Se não era só uma ilusão. Às vezes eu imaginava nosso reencontro exatamente assim.

"Macarrão", ele falou, com a boca ainda colada à minha.

Me incomodei ao ver como ele estava confiante. Mas parecia ser uma confiança em mim, em nós. Não só de que eu voltaria com ele. Havia também a minha confiança de que ele tinha voltado por mim.

"Você veio para ficar?", perguntei.

"Se você me aceitar", ele falou.

Era só isso que eu precisava ouvir. Sei que parece ridículo. Fora de contexto, parece a fala mais clichê do livro. Mas foi o que aconteceu.

Ele deixou a mala na porta. E me puxou para junto de si. Começamos a nos pegar encostados no armário. Enfiei minhas mãos em seus cabelos — estavam sujos. Senti as dele descendo pelas minhas costas. Eu estava transando com Paul fazia quase dois anos e, durante todo esse tempo, não senti o que estava sentindo naquela hora, totalmente vestida, com Tobias.

Passamos para a sala e então ele me pegou no colo e me carregou para o quarto. Ele conhecia o apartamento, que costumava ser nosso. E talvez já fosse de novo.

Tobias me deitou na cama e tirou minha roupa. Eu estava sedenta por ele, impaciente — esfomeada —, mas ele foi com calma. Tirou a camisa e deitou em cima de mim. Estava mais bronzeado do que antes, e mais pesado — mais denso. Eu o encarei.

"Fiquei esperando você", falei. Assim que falei isso, sabia que era verdade — esperei mesmo. Paul, o apartamento, os últimos dois anos — nada daquilo era real. Nada daquilo tinha parecido uma espera. Eu achava que era um esforço lento para virar a página. Mas eu estava errada. Vinha nadando contra uma correnteza que, durante todo aquele tempo, estava tentando me puxar de volta para o mar. E eu finalmente me deixei levar.

Ele me beijou, e segurei seus ombros. Tobias baixou a boca para o meu pescoço, e me ajeitei embaixo de seu corpo enquanto ele levava a mão para o meio das minhas pernas.

O toque de seus dedos me fez arrancar o pouco de roupa que ainda restava entre nós. Fazia tempo demais.

"Agora", falei.

Ele entrou em mim, e nós dois soltamos o ar com força ao mesmo tempo. Então ele ficou parado, imóvel.

"Eu senti sua falta", ele falou.

"Eu senti falta disto."

Começamos a nos mover juntos. Nossos corpos tinham o mesmo ritmo, ele sabia exatamente como me tocar, entendia todos os meus sinais. Me senti zonza, leve, como se pudesse entrar em combustão espontânea por causa da intensidade de estar com ele.

"Sabrina", ele sussurrou. A única coisa que consegui pensar era meu nome, meu nome, meu nome — sem parar. Fui encontrada.

Mais tarde, quando estávamos abraçados na cama, contei a Tobias sobre Paul. Ele ouviu toda a história com atenção. A festa, os quase dois anos juntos. Não ficou com ciúme; Tobias era assim mesmo — atencioso, honesto, sincero.

"Você quer terminar com ele?", perguntou.

"Sim", disse. E o beijei de novo.

Terminei com Paul na semana seguinte. Quando ele voltou à cidade, eu o chamei para tomar um café. Fomos a um Starbucks deprimente na rua 57, barulhento e lotado de crianças. Fui a primeira a chegar. Queria escolher a mesa.

Pedi um café com leite integral para ele e um puro para mim. Acho que ele já sabia. Em geral, sempre me encontrava com um sorriso. Para Paul, a vida era como o refrão de uma música. Familiar e melódica. Nunca havia momentos decisivos. Nem crises inspiradoras.

Mas ele sabia o que aquele café significava.

"O que aconteceu?", me perguntou quando se sentou, depois de me agradecer pelo café. Paul era muito educado.

Pensei em dizer que achava que não éramos a pessoa certa um para o outro. Que não estávamos em sintonia. E era verdade, claro. Mas também não era a resposta.

"Ele voltou", eu disse.

Paul sabia sobre Tobias. Logo no começo, ele me pegou chorando. Depois de transar, às vezes, o que deixava nós dois bem mal.

"Entendo." Ele falou um monte de coisas depois. Que Tobias iria embora de novo. Que Tobias não me merecia. Mas nenhum de seus argumentos era uma tentativa de me convencer a continuar com ele. Paul não estava defendendo nossa relação. Ele já sabia que essa era uma luta perdida.

Mas sua atitude era compreensível. Ele só sabia o pior sobre Tobias. Meias-verdades e algumas invenções criadas por alguém com o coração partido. O homem de carne e osso não era nada parecido com a imagem fraturada que Paul tinha. Eu não podia culpá-lo por ter criado aquela figura distorcida. E, é claro, muito daquilo também era verdade.

Saí do Starbucks e liguei para Tobias. Ele foi até Manhattan me encontrar. Quando me viu parada na porta, me abraçou. "Sinto muito", ele disse. E só. Deixei que essas palavras se estendessem a tudo. Que valessem pelos dois anos anteriores inteiros.

Fomos para casa, pedimos comida indiana e comemos no chão. Tínhamos vinte e sete anos. Na época, parecia que estávamos chegando aos trinta. Mas hoje, aqui, me parece uma idade bem mais próxima dos vinte.

Tínhamos apenas mais vinte e quatro meses para nós. A contagem regressiva tinha começado. Mas eu não sabia. Naquele momento com ele, no auge do inverno, parecia o começo de algo que ia durar para sempre.

21h48

O tempo está se comportando de maneira estranha. Estamos terminando nossos pratos principais. Dividindo a comida. Jessica dá um pouco de massa para Audrey, que troca por uma vieira. O vinho ajudou a deixar um clima informal e íntimo, mas pela primeira vez desde que cheguei sou acometida por uma sensação de urgência. A necessidade de solucionar e consertar o que for preciso antes do quê, da meia-noite? Seja quando for que nos levantarmos da mesa e cada um seguir seu caminho.

"Você ainda tem o relógio de bolso", digo para Tobias ao mesmo tempo que Jessica pergunta: "Por que eu estou aqui?".

Fico tão surpresa com a pergunta que viro as costas para Tobias. "Como assim?"

Jessica parte um pedaço de pão e chucha no molho. "Eu sei da sua lista; estava do seu lado quando você fez. Você não colocou meu nome. Quer dizer, eu moro a quarenta e cinco minutos daqui, no máximo. Você pode me visitar quando quiser."

Quase dois anos atrás, risquei o nome da minha avó e escrevi o de Jessica. Foi por raiva. Eu ainda tinha aquele Post-it — surrado e com as pontas amassadas. Um lembrete da Jessica que costumava estar ali, enchendo nossa sala de papel machê e com sua *presença*.

Jessica não está acostumada a beber tanto, e percebo os sinais de uma sinceridade induzida pelo vinho. Rosto vermelho. Olhar um pouco fora de foco.

"Porque eu poderia visitar você, mas nunca consigo."

Jessica baixa o garfo. "Isso não é justo."

Jessica e eu não rompemos uma com a outra — ainda a considero minha melhor amiga. Não houve nenhuma briga, nenhum desentendimento. Mas às vezes tenho a impressão de que algo irremediável aconteceu entre nós, e o fato de eu não saber *quando* foi isso torna a situação pior. Se tivéssemos brigado, poderíamos fazer as pazes, pedir desculpas, superar tudo. Mas não dá para pedir desculpas por um afastamento lento e gradual.

"Mas é verdade", eu digo. "Você está sempre ocupada demais. Quando foi a última vez que veio para cá?"

"Eu tenho um bebê", ela responde.

"Você já estava muito ocupada bem antes de o Douglas nascer."

Jessica tem aquela mentalidade de que "longe dos olhos, longe dos pensamentos". Em vários momentos da nossa amizade ela fez questão de dizer que isso não significava que gostasse menos de mim. "Eu posso esquecer", ela me falou. "Mas isso não quer dizer que não precise de você, ou que não me importe."

Mal temos uma amizade de verdade hoje. Acho que a última vez que a vi foi três meses atrás, no batizado do Douglas. Ela tem um bebê de sete meses que eu só vi duas vezes.

"Desde que você saiu do apartamento", continuo. "É como se você tivesse desaparecido no ar. Você nunca me liga. Diz que sou sua melhor amiga, mas qual é o parâmetro que define isso?"

"Você estava lá, por acaso?" Ela vira o corpo inteiro para

me encarar. Por um momento, vejo a mulher que eu conhecia tão bem aos vinte e dois anos. Passional e cheia de vida. Que escrevia *Você é hoje* com batom nos ladrilhos do chão da cozinha. "Você estava tão absorta com Tobias. Eu mudei, mas você também. Mal estava presente enquanto eu planejava o casamento. E eu não fiquei magoada. Queria que você fosse feliz. Ainda quero."

"Mas eu não sou", respondo. "Não estou."

Do outro lado da mesa, vejo Audrey se inclinar para a frente, mas Conrad a segura gentilmente.

"Você ainda acha que eu posso resolver tudo pra você", Jessica diz baixinho.

"Não acho que você possa resolver nada." Meu lábio começou a tremer. Sei que ela sabe que estou prestes a chorar. Ela conhece todos os meus gestos, assim como eu conheço os seus. "Só quero que você não desista de tentar."

E é isso, agora está dito. O que mais me machuca. Não as atitudes, claro que não. Não os jantares e os telefonemas perdidos. Não os planos adiados. Mas a dor de sentir que, lá no fundo, ela não quer mais que as coisas sejam diferentes. Que ela está tão imersa na própria vida que nem passa pela sua cabeça como é estar no meu lugar.

"Mais vinho?", Audrey oferece. Vejo que ela está de pé ao meu lado com a garrafa. Deve ter se desvencilhado de Conrad em um segundo. Ela põe a mão na minha cabeça, e o gesto é tão maternal que por um momento acho que não vou dar conta. Audrey não é muito mais velha do que sou hoje, aqui, seja lá onde realmente estamos, mas é como se tivesse condensado sua vida inteira nesse corpo. Ela tem sessenta anos e vinte e três e dezessete — ao mesmo tempo.

Audrey enche minha taça. E serve mais vinho para Jessica e Tobias também.

"Sinto muito", Tobias diz devagar.

"Você não tem nada a ver com isso", respondo.

"Você não pode resolver essa situação", Jessica diz para Tobias. "Eu não posso, e nem você. Por que você está aqui? Por que veio hoje? Eu te adoro, Tobias, mas você só está piorando as coisas, você sabe, não?"

"Estou tentando ajudar", Tobias responde. Sinto meu coração se alegrar. Ele sabe o que tem que acontecer aqui esta noite. Quer encontrar seu caminho de volta também. Consertar o que deu errado e recomeçar.

"Não", diz Jessica. "Não está. Você está aqui falando um monte de coisas e lembrando de um monte de coisas, e o que você acha que vai acontecer?"

"Por que isso precisa ser necessariamente ruim?", pergunto para ela. "Por que não podemos voltar atrás e consertar o que deu errado? Não é por isso que estamos aqui?"

"Você não entendeu nada mesmo", Jessica rebate. "E eu já cansei de explicar."

"Explicar o quê?", pergunto. "Que não estamos vivendo de acordo com os seus padrões de relacionamento? Que se eu reatar com ele você não vai estar lá dessa vez para juntar os cacos?"

"Não", Jessica diz. Ela olha para a taça de vinho, como se esperasse encontrar a resposta lá.

"Por favor", diz Tobias. "Jessica." Há um tom de advertência em sua voz. De repente sua voz me soa totalmente estranha.

"Desculpa", Jessica diz. Ela se vira para mim, e seus olhos estão marejados e arregalados. "Tobias está morto."

Treze

Por cinco meses, Rubiah, Tobias e eu moramos juntos. Rubiah e Tobias se davam bem. Ela quase nunca estava lá, mas às vezes eu chegava em casa e encontrava os dois bebendo cerveja ou no meio de uma partida de um jogo de tabuleiro. Matty tinha ensinado Tobias a jogar Risk alguns anos antes, e eles ainda se encontravam de vez em quando no Uncommons, no West Village, para disputar algumas partidas.

A relação de Rubiah com Tobias era tranquila e veio a calhar, porque diminuía um pouco a saudade que eu sentia de Jessica. Ela estava feliz por Tobias ter voltado — eu sabia que na sua opinião nem devíamos ter terminado —, mas agora ela era uma mulher casada, e a meu ver com o tempo vinha se tornando cada vez mais crítica em relação às minhas escolhas de vida diferentes das suas. Ela se tornou adulta bem depressa, com certeza bem mais rápido que Tobias e eu, e que qualquer outra amiga minha. Era a responsável por um lar, e as realidades da vida aos vinte e poucos anos, a sensação de estar sempre em uma montanha-russa — parecia que ela tinha pulado toda essa parte. Então morávamos com Rubiah, e estava dando certo. Mas nossa versão atualizada de *Um é pouco, dois é bom, três é demais*, por assim dizer, não durou muito. No verão de 2015, Rubiah arrumou um lugar mais perto de Columbia, e Tobias e eu decidimos mudar também.

Eu estava naquele apartamento na Décima Avenida desde o início, fazia quase cinco anos, e gostava de lá na mesma medida que também estava cansada do lugar. Eu adorava pensar que tanta coisa tinha acontecido ali. Jessica e eu tínhamos mudado só com duas malas cada uma e uma caixa de livros que mandamos pelo correio da universidade. Nossa primeira ida à Ikea, depois de convencer o zelador a alugar um carro para nós porque ainda não tínhamos vinte e cinco anos. Passeando com Jessica dentro do carrinho pelos corredores, discutindo sobre comprar um sofá ou duas poltronas (acabamos nos decidindo por um sofá pequeno e uma poltrona). Madrugadas vendo reprises de *Friends* e aquele primeiro ano, quando Jessica acordava mais cedo e ia até a lanchonete de esquina comprar café — um com leite de avelãs e um com adoçante.

Mas eu detestava a pia enferrujada, o vazamento no banheiro toda vez que os vizinhos de cima tomavam banho e o barulho que entrava nos quartos virados para a rua. Estava disposta a seguir em frente, como quando terminamos o ensino fundamental e mudamos de escola para fazer o ensino médio. Não necessariamente por escolha, mas porque tinha chegado a hora.

Tobias e eu encontramos um apartamento de um quarto na rua Oito entre a Sexta Avenida e a rua MacDougal. Era pequeno e antigo, com um fogão enferrujado e paredes com rachaduras, apesar de terem sido pintadas havia pouco tempo. Foi o terceiro que vimos, e optamos por ele na hora.

Tobias se encarregou de procurar enquanto eu estava no trabalho. Ele queria mudar para o Brooklyn, mas essa eu ganhei. Não queria sair de Manhattan de jeito nenhum, e Tobias cedeu. Ele nem insistiu muito. Acho que sabia que não tinha chance.

"Encontrei", ele falou quando me ligou.

Olhei no relógio: 11h38. "Foi o primeiro lugar que você viu?", perguntei.

"É perfeito", ele falou. "Confia em mim."

Saí para o almoço meia hora mais cedo e o encontrei nos degraus da frente. Ele estava com um buquê de girassóis, que estavam na época de florir. "Bem-vinda ao nosso lar", ele disse quando cheguei.

Subimos juntos as escadas (seis lances) e, assim que entrei, percebi que ele estava certo. Não era perfeito, nem de longe, mas era a nossa cara. Tobias estava animado. "Podemos pintar a sala", falou. "Talvez de amarelo." Ele me abraçou pela cintura.

"É legal", falei. "Quanto custa?"

Ele estreitou os olhos. "Dois e quatrocentos, mas está só trezentos acima do orçamento, né? E a corretora disse que consegue reduzir a taxa da imobiliária pela metade para nós." Encolheu os ombros. Por um instante imaginei uma morena de pernas compridas com uma maleta no nosso apartamento, se esfregando em Tobias no balcão da cozinha.

Não tive coragem de dizer que nosso orçamento já estava duzentos dólares acima do que de fato tínhamos condições de pagar. Eu também queria aquela sala amarela.

Matty nos ajudou na mudança. Pegou emprestada a van do pai, que forrou com cobertores. Tobias tinha vendido seu Prius em LA. Matty tinha se formado e trabalhava em um banco. "Com um monte dinheiro e um monte de estímulos", foi como Tobias descreveu Matty em seu novo emprego. "Parece um pinto no lixo."

"Ele está animado", falei. Estávamos empilhando as caixas. Tobias pôs um abajur no chão com cuidado. Matty estava lá embaixo, de olho na van parada em fila dupla.

"Não", ele falou. "Ele estaria animado se estivesse fazendo um lance dele. Agora só está a mil por hora como um hamster correndo numa roda."

Tobias deu uma bronca em Matty por não ter escolhido trabalhar em uma startup, ou não ter desenvolvido seu próprio aplicativo. Achava que ele estava se vendendo. Só que Matty tinha vinte e três anos. "Primeiro dinheiro, depois independência", ele respondia sempre que Tobias tocava no assunto.

Para mim, Matty parecia feliz, mas àquela altura eu entendia melhor a relação complexa de Tobias com sucesso, dinheiro e a ideia de ter que trabalhar para os outros. Tinha feito isso em LA, e gostado — mas só porque achava que o que fazia era criativo e importante. Ele era um verdadeiro artista — sucesso comercial não era um objetivo; muitas vezes; só criava problema. Mais de uma vez eu o ouvi dizer para Matty que parava de ouvir uma banda depois que ela ficava famosa. "O som muda", dizia. "Deixa de ser puro."

Ele não havia deixado o trabalho com Wolfe em termos amigáveis (a demissão não tinha sido bem-vista), e estava agora trabalhando para um dos concorrentes de Wolfe em Nova York — uma prática que, segundo ele, era bastante comum. Não viajava tanto, o que eu achava ótimo, e ele também não se importava. A maior parte das sessões de fotos era para grandes agências de publicidade da cidade. Significava um passo atrás em termos de glamour, mas que não chegava a ser tão ruim como na época da Digicam, e o salário era apropriado — enfim, era um emprego, e nós estávamos juntos. Mas eu sabia que ele não estava totalmente satisfeito com o trabalho, e isso me incomodava. Defender Matty muitas vezes parecia uma tentativa de aplacar a culpa que sentia em relação a Tobias — *Tudo bem ser adulto.*

Eu estava no apartamento minúsculo com piso de madeira enquanto Matty e Tobias se revezavam para trazer as caixas escada acima. Meu papel era de supervisora. "Ali na esquerda." "No quarto." "Lá na outra parede." Tínhamos coisas demais para um lugar tão pequeno, que era um terço do tamanho do antigo. Fomos acumulando coisas ao longo dos anos. Cadeiras antigas e almofadas e banquinhos comprados em brechós da Segunda Avenida. Gravuras adquiridas nas calçadas de Nova York. Móveis meio estranhos da Ikea (é uma mesa de TV ou uma escrivaninha?). Utensílios de cozinha que não eram bem potes nem panelas. Rubiah levou pouca coisa, e Tobias não conseguia jogar nada fora (e se precisássemos desse segundo fouet?). Essa era uma característica que não combinava muito com ele, a necessidade de acumular coisas. Tentei sugerir alguns desapegos, mas a mudança em si já era bem estressante, então quase tudo acabou indo junto.

Com exceção, estranhamente, da fotografia que eu tinha comprado tantos anos antes. O homem de outro grupo étnico. Não consegui encontrar em lugar nenhum. Nem nas caixas, quando desembalamos tudo, nem perdida no meio dos artigos de banheiro, ou enfiada em uma sacola de roupas. À medida que os dias foram passando e desmontamos as caixas e empilhamos as louças na cozinha, comecei a entrar em pânico. Passei no antigo apartamento — ninguém tinha visto. Liguei para Matty e pedi para ele checar a van — nada. Uma semana depois da mudança, me sentei no chão do quarto e, pela vigésima vez, procurei embaixo da cama.

"Desencana", Tobias falou. Ele parecia bem menos intrigado com o que aconteceu do que eu. Passou pela minha cabeça que talvez ele tivesse se livrado da foto.

"Não consigo", respondi. "Foi a primeira coisa sua que eu tive."

"E daí?"

"Estava lá desde o começo", falei.

"Nós também."

"Você não está falando sério, né?"

Matty estava na cozinha, tentando preparar uma refeição com temperos. Tínhamos pedido pizza quase todos os dias naquela semana; com certeza era o que acabaríamos fazendo de novo. Tobias me abraçou. "Quem se importa com uma fotografia quando eu tenho você?"

"Você nunca gostou dela", rebati.

Ele voltou a organizar os livros na prateleira. "Não era minha favorita, já fiz coisas melhores. Eu tinha dezenove anos. Era péssimo."

Ele não entendia. Que diferença fazia a qualidade do trabalho? O importante era a história. Era nossa trilha de migalhas de pão, talvez até nosso Santo Graal. Eu não podia perdê-la. Por algum motivo, sentia que era uma perda significativa para nossa relação — uma espécie de mau presságio. Como se a fotografia fosse nosso amuleto da sorte, sem o qual estávamos perdidos.

"Você se livrou dela?", perguntei. "Seja sincero."

"Não", ele disse. E saiu da sala.

Naquela noite, uma das primeiras na casa nova, não consegui dormir. Não parava de pensar na fotografia, de me perguntar onde poderia estar. Como, de todas as coisas que trouxemos, objetos e móveis aleatórios e inúteis, fomos perder justo isso? Eu tinha tomado tanto cuidado com ela. Tirei da parede e embrulhei no mesmo papel em que ela ficou por dois anos. Dobrei direitinho e prendi com fita. O que poderia ter acontecido?

Tobias roncava ao meu lado, despreocupado. Sua cabeça estava apoiada no meu peito, e seus cachos faziam cócegas no meu pescoço. Pensei no garoto que tirou aquela foto. Que eu tinha ido procurar tantos anos atrás. Não o encontrei naquela ocasião, mas descobri a foto e ela compensava tudo o que eu não tinha. Ou tinha compensado. A imagem granulada daquele homem. Me perguntei se não estava me apegando à coisa errada.

21h52

"Tobias está morto." Assim que ouço Jessica dizer essas palavras, sinto o impacto do metal contra o meu corpo, a pressão do aço, o cimento ralando e arrancando minha pele. Quando Tobias foi atropelado, eu senti tudo, cada costela quebrada e cada gota de sangue. Eu estava tentando esquecer o que aconteceu. Mas tinha acontecido. Ele se fora.

Idiota. Idiota. Idiota. Idiota. Idiota. Idiota.

Jessica está me encarando com curiosidade, como se não soubesse como vou reagir. Como se eu pudesse levantar e virar a mesa inteira no chão. Não vou fazer isso, claro. Não estou surpresa. Ele morreu, eu sei. Eu estava lá.

Conrad está com uma expressão preocupada, e Audrey fica repetindo "Ah, não" bem baixinho. Robert não diz nada.

"Sinto muito", diz Tobias. "De verdade. Pensei que hoje..."

"O quê?", Jessica interrompe, exaltada de novo. "Que você poderia voltar no tempo?"

Por alguma razão, nesse momento todos nós olhamos para Conrad. Talvez por ele ser um professor de filosofia, talvez ele seja a autoridade da mesa. Mas acho que há outros motivos também. Por que estamos aqui? Como isso aconteceu?

Ele levanta as mãos em um gesto para nos acalmar.

Audrey resolve interferir. “Acho que precisamos de um minuto para digerir a informação.”

Jessica apoia a cabeça nas mãos. “Com todo o respeito, já faz um ano que estamos digerindo essa informação.”

A realidade da morte dele se abate sobre mim, como tantas vezes antes. Nas primeiras semanas, acordava sem ar. Sentia uma avalanche de gelo me soterrar todas as manhãs ao me dar conta de que não era um sonho, que essa era a minha realidade, que ele se fora.

E ainda assim, pela primeira vez em um ano, percebo um indício de algo diferente, vivo, novo. Porque talvez...

Estendo a mão para Tobias embaixo da mesa, e dessa vez não a solto. Sinto seus dedos se entrelaçarem aos meus, a frieza da palma de sua mão. É isso que mais me faz falta. Isso. Ele. Seu corpo.

Sei que Audrey não vai mais voltar, nem meu pai, mas no caso de Tobias é possível. Tobias é meu. Se não fosse o nosso erro, se não fosse o que deu errado, ele ainda estaria aqui. É minha obrigação corrigir isso.

“E se esse for o motivo para estarmos aqui?”, digo. Minha voz está trêmula, e vejo minha hesitação refletida nos rostos diante de mim.

“Não sei...”, começa Robert.

“Não”, interrompo. É isso, só pode ser. Parece que encontrei a chave. Não estou interessada em outras opiniões. Quero pegar Tobias pela mão e levá-lo embora daqui, para longe desses descrentes. “É por isso que estamos aqui hoje. Vamos conseguir mudar as coisas.”

“Sabrina”, diz Audrey. É a primeira vez que ela me chama pelo nome. “Não acho que seja uma ideia muito sensata.”

“Por que não?” Estou me sentindo desafiadora, ousada. Afinal, o que mais importa, além de tê-lo de volta? “Você mesmo disse que estamos aqui para entender o que aconteceu", digo para Conrad.

"Sim", ele responde. "Entender, não mudar."

"Talvez vocês possam fazer as pazes", Robert sugere. "Sei que isso parece..."

"Não", interrompo outra vez. "Parem com isso, por favor." As vozes deles parecem duras, altas demais, como o som das britadeiras diante do nosso apartamento na Décima Avenida às sete da manhã de um sábado. Quero que parem.

Olho para Tobias e vejo nos olhos dele a mesma esperança que sinto, e mergulho nisso — no espaço que nós dois compartilhamos. O espaço ao qual recorremos inúmeras vezes em dez anos — onde só precisávamos um do outro. Aquilo que amenizava mesmo os piores momentos, que nos aproximava de novo.

"Nós podemos tentar mudar tudo, não é?", Tobias pergunta.

"Eu não vou ficar aqui ouvindo isso", Jessica diz. "Não consigo. Não consigo ver você..." Ela se levanta, e Audrey faz o mesmo.

"Sente-se", Audrey diz.

Jessica parece perplexa. Ela ajeita o blazer no corpo. "Não."

"Eu falei para você se sentar", Audrey repete, dessa vez com um tom ainda mais impositivo. Conrad põe a mão no braço dela. "É o jantar da Sabrina, esqueceu? Jessica, por favor."

Jessica balança a cabeça. Mas em seguida afunda de volta na cadeira. "Para vocês é fácil falar. Quando der tudo errado, eu vou ser a única que ainda vai estar por perto. Vocês vão todos embora, mas eu vou ter que ouvir sobre não ter dado certo, sobre a perda que ela vai sentir outra vez..." A voz de Jessica fica embargada, e ela morde o lábio inferior.

"Jess", eu digo. Ainda estou segurando a mão de Tobias. "Desculpa, mas eu preciso tentar."

"E você quer que eu fique aqui sem fazer nada?", ela diz, limpando o rosto com o dorso da mão.

"Não. Ninguém aqui me conhece tão bem quanto você."

"Isso não é verdade", ela rebate. "Ele conhece."

"Não", insisto. "Não conhece, não."

Tobias e eu tínhamos uma proximidade enorme e arrebatadora, que parecia eterna e imutável. Sina. Destino. A correnteza da vida nos puxando incessantemente um para o outro. Mas os detalhes, o dia a dia, o café, o bagel com sementes de papoula, as reprises de *Friends* e a caneta esferográfica em vez da ponta de feltro, isso eu tinha com Jessica. Ela sempre foi meu contato de emergência. Nunca coloquei o nome de Tobias para isso. Era sempre o de Jessica.

"Por favor", eu digo. "Preciso de você. Preciso que você fique."

Ela olha para mim. Seus olhos me dizem que está cansada, que não quer fazer isso, que sabe que é um equívoco, que nós nunca vamos encontrar nosso caminho de volta. Mas assente. "Tudo bem", ela diz. "É o seu jantar."

Sinto Tobias apertar minha mão.

Conrad limpa a garganta. "Você estava contando como foi quando ele voltou de Los Angeles", ele diz.

"Nós estávamos felizes", eu digo. Mas paro porque, pela primeira vez, não quero só reviver minha experiência. Quero ouvir a versão dele também. Quero saber como tudo foi para ele. "Não estávamos?"

Tobias se vira para mim de forma súbita, quase violenta. "Claro", ele responde. "Como é que você me pergunta uma coisa dessas?"

"Muitas coisas podem ser verdade ao mesmo tempo", Jessica diz.

Catorze

O verão que se seguiu à volta dele, quando morávamos na rua Oito, rivalizou com nosso primeiro ano pelo título de nossa época mais feliz. Circulávamos pela cidade de bicicleta, tomávamos sorvetes da Big Gay na High Line, passávamos as tardes deitados sobre uma manta à sombra de uma árvore no Prospect Park. Quando penso nesse período, era como se estivéssemos sozinhos na cidade. O que não era verdade, claro. Eu tinha meu trabalho, e estava começando a achar que os livros infantis talvez pudessem ser a minha praia. Eu tinha selecionado um infantojuvenil que tinha como protagonista Anne Hathaway, a esposa de Shakespeare, aos onze anos de idade, e minha chefe não só comprou os direitos como conseguiu apressar o lançamento. Talvez eu levasse jeito para a coisa.

Matty estava namorando uma estudante de pós-graduação da New School, uma escritora chamada Beth Sterns, e nós quatro passávamos bastante tempo juntos. Ela tinha uma obsessão meio estranha por sementes de girassol. Estava sempre com um pacotinho. No metrô, nos museus, até nos restaurantes. Deixava um rastro de cascas aonde quer que fosse. Ela era simpática. E inteligentíssima. Matty ainda trabalhava no banco, e estava pensando em ir para um fundo de investimentos, uma mudança crucial que Tobias desaprovava, claro. Mas ele começou a dividir suas opiniões cada vez menos com Matty. "Ele não quer ouvir", Tobias dizia, depois de expressar alguma preocupação a respeito.

"Sei que ele está decepcionado comigo", Matty me falou em uma noite de agosto. Estávamos na cozinha de seu apartamento, um lugar novinho em Midtown Manhattan com eletrodomésticos chiques e uma bela vista. Ele segurava a lata de lixo enquanto eu enfiava as embalagens vazias de comida lá dentro. Beth e Tobias estavam na sala, arrumando o tabuleiro de um jogo.

"Não está, não", respondi. "Você sabe como é o Tobias, ele tem expectativas impossíveis de atender."

Matty assentiu. "Como se ele não estivesse no mesmo barco. Está fazendo anúncios de aromatizadores de ambientes."

Fiz uma careta. Detestava ser lembrada da carreira de Tobias. Ele estava sacrificando seu talento para estar aqui, para estar comigo.

"Fico preocupado com ele, às vezes", Matty comentou. Eu estava com a mão suja de curry, e fui à pia lavar e me afastar um pouco. Ainda estávamos naquele verão perfeito. Eu não queria saber a visão de Matty. O jantar que tive com ele quase dois anos antes me veio à mente. O orgulho em seu rosto. O que ele me disse sobre talvez ter sido melhor nos separarmos.

"Ele está bem", falei, ainda de costas para ele. "Esse trabalho é temporário." Eu acreditava nisso de verdade. Tobias era talentoso demais. Alguma coisa apareceria em breve, e dessa vez eu estaria por perto. Fechei a torneira. "Beth é muito legal."

Matty percebeu que eu queria mudar de assunto, soltou um suspiro e me entregou um pano de prato. "Sim", ele disse. "Ela é mesmo. Mas eu meio que preferia que ela gostasse de amêndoas." Nós dois caímos na risada.

Nós voltamos para a sala. Tobias estava comendo sementes de girassol com Beth, com os dentes sujos e sorrindo.

No trabalho, minha amiga Kendra estava se saindo melhor que eu. Ainda não tinha encontrado o novo Harry Potter, mas conseguiu arrematar uma série de um autor britânico que até então vinha se recusando (bastante explicitamente) a publicar seus livros nos Estados Unidos. Foi promovida de imediato a editora associada. Passou a ter uma sala só sua e, apesar de eu sentir sua falta nas baias, o escritório dela foi uma mão na roda para nós duas.

Era uma quinta-feira. Kendra e seu namorado tinham um lugar para passar uns dias nos Hamptons — ou melhor, ele tinha. Nosso salário mal dava para pagar o aluguel, quanto mais uma casa de praia. Kendra estava namorando um cara do mercado financeiro chamado Greg, que parecia não ter muito a ver com ela — eu só tinha encontrado com ele uma vez, em uma festa que nossa chefe tinha dado em sua casa em Westchester, com um belo quintal com churrasqueira. Ele passou quase o tempo todo no telefone.

"Preciso perder uns cinco quilos", Kendra falou. Estávamos almoçando na sala dela. Nesse momento percebi que Kendra já estava uns cinco quilos mais magra que no inverno anterior. Desde que se envolveu com Greg, ela não comia quase nada. Eu estava na cidade fazia tempo suficiente para perceber que caras brancos do mercado financeiro costumavam sair com garotas loiras muito magras e bonitas. Kendra não era nem uma coisa nem outra, e minha opinião era que, se Greg quisesse uma mulher assim, era o que teria procurado. Eu não entendia essa obsessão espontânea de Kendra em querer mudar sem ninguém ter pedido nada.

"Só não quero estar solteira quando chegar aos trinta", ela me respondeu quando perguntei. "Quer dizer, você quer?"

Com Tobias na minha vida desde meus dezenove anos, nem cogitei a hipótese de ficar solteira. Eu sabia que, enquanto ele estivesse no mundo, eu não ficaria.

"Vocês já conversaram sobre casamento?", insistiu Kendra.

Baixei os olhos para minha salada murcha. Não tínhamos. Falávamos sobre o futuro. Queríamos viajar. Às vezes fantasiávamos sobre ter um bebê — com os cabelos dele e o meu temperamento equilibrado. Mas sempre em termos hipotéticos.

"Nós estamos aproveitando o momento em que estamos", respondi para Kendra. "Não temos pressa."

Mas a verdade era que, claro, *eu* pensava a respeito — sozinha e em segredo. A volta de Tobias tinha sido tão importante que eu queria transformá-la em algo mais concreto. O casamento não significava uma promessa de ficar juntos para sempre. Aprendi isso desde cedo com minha mãe. Só que, mesmo assim, eu queria oficializar tudo. Queria que anunciássemos nosso compromisso diante das pessoas que eram importantes para nós. Com papel passado e testemunhas, uma vida em comum. Eu queria esse vínculo com ele. E Jessica vinha me questionando isso ultimamente. *Vocês estão juntos há praticamente cinco anos*, ela dizia. *O que ele quer da vida?*

Eu não sabia, e não estava a fim de perguntar. Preferia acreditar que ele seria bem-sucedido na profissão, que algum dia teríamos dinheiro para fazer o mesmo que nossos amigos estavam começando a fazer, mas ele havia largado seu trabalho para ficar comigo. Não era hora de começar a pressioná-lo.

"Você é tão confiante", Kendra comentou. Ela estava passando um lápis de olho esfumaçado que levava na bolsa. "Queria ser assim também."

Eu encolhi os ombros. Não me sentia nada confiante. Na maior parte do tempo, era um poço de insegurança. Mas eu era apaixonada por ele, e ele por mim. E isso teria que bastar.

Naquela noite, uma semana depois do jantar no apartamento de Matty, Tobias e eu preparamos uma massa e fomos comer na cama. Estava um calor terrível, e só tínhamos ar-condicionado no quarto. No restante do apartamento estava mais de trinta graus. Eu nunca sabia se abrir as janelas piorava ou melhorava a situação.

"Onde você se vê daqui a cinco anos?", perguntei para Tobias.

Ele caiu na gargalhada. Seu garfo foi parar no travesseiro. O rastro de molho de tomate fez a cama parecer o cenário de um crime.

"Toma aqui." Molhei um guardanapo na minha água e entreguei a ele. "É sério."

"Com você", ele falou, pressentindo do que se tratava.

"Eu sei", respondi. "Mas e em termos de trabalho?"

Tobias estava esfregando o travesseiro. "Sei lá. O que eu tenho agora não é ruim. Por que estamos fazendo esse jogo agora?"

Respirei fundo. Tomei coragem. "Porque hoje Kendra me perguntou se nós vamos casar, e eu não soube o que responder."

Tobias nem interrompeu o que estava fazendo. "Diz que isso não é da conta dela."

"Mas é da minha", rebati. "Jessica também vive perguntando. A gente não deveria pelo menos conversar a respeito?"

Tobias parou de limpar o travesseiro e olhou para mim. "Você quer?", ele perguntou.

"Quero."

Ele pareceu refletir por um momento. Uma mudança

de planos, uma alteração de rota no metrô, uma previsão de tempestade no dia em que estava marcado um piquenique.

"É bom saber", ele disse.

"O que isso quer dizer?"

Tobias suspirou. "Quer dizer exatamente isso. É bom saber. Não sabia que casamento era uma coisa tão importante pra você, e agora eu sei."

"Eu não disse que era tão importante. Só falei que a gente deveria conversar a respeito. É isso que casais fazem quando estão juntos há tanto tempo."

Tobias colocou o prato na mesinha de cabeceira. "Ah, por favor, então me conta o que os outros casais fazem. Eu preciso anotar! Como foi que a gente conseguiu sobreviver todo esse tempo sem saber disso?"

"Não foi isso que eu quis dizer."

"Não, foi exatamente isso que você quis dizer. Para você, a gente ser *a gente* nunca é o bastante. Você precisa sempre ter algum parâmetro de comparação." Ele estava ficando irritado. A veia em sua testa pulsava quando ele se alterava.

"É tão terrível assim querer coisas que outras pessoas têm? Jessica e Sumir...?"

"Porque eles são o exemplo de felicidade?"

Tobias gostava de Sumir, mas os dois não eram nada parecidos, e eu sabia que, apesar de ele nunca ter dito nada, assim como Jessica tinha suas ressalvas em relação à nossa vida — a falta de um salário fixo de Tobias, nossa mania de nos isolarmos —, Tobias tinha as suas em relação à deles. Ficar estagnado, ser absorvido pela normalidade — essas eram suas maiores preocupações.

"O que tem de tão errado com eles?" Eu já estava gritando. Ouvia meus batimentos ressoando nos ouvidos. O macarrão balançava perigosamente no meu colo.

"Sério que é essa a vida que você quer? Mudar para Connecticut? Vocês nem se veem mais. Eles nunca viajam. Estão presos àquela casa, e depois vão se prender a uma maior, e depois a uma maior..."

"Pois é, mas pelo menos vão estar juntos." E lá estava a grande questão, o problema que estava por trás de todas as nossas brigas. *E se você for embora de novo?*

"Você confia em mim?", Tobias perguntou. Sua voz tinha perdido toda a energia.

"Sim", falei, soltando o ar que estava prendendo no peito. "Claro que confio."

"Preciso casar com você para provar que eu te amo?"

"Não", respondi, olhando para baixo vendo o macarrão todo revirado no meu prato. Parecia tudo uma bobagem, agora que estávamos nos acalmando. Eu acabei ficando cismada por causa da Kendra — por quê?

"Você sabe que não existem garantias na vida, que eu não posso prometer nada com certeza, do mesmo jeito que você não pode me prometer nada com certeza."

"Posso, sim", falei. "Posso garantir para você." Segurei sua mão. "Eu te amo demais."

Seus olhos verdes me encararam. Ele prendeu uma mecha de cabelos atrás da minha orelha. "Eu também", ele disse. "Chega a ser um absurdo o quanto eu te amo. Você sabe disso. Não tem nada que eu não faria para te deixar feliz."

"Cinco", falei.

Ele ergueu uma sobrancelha para mim. "Quente", ele disse.

Levei sua mão ao meu peito.

"Eu estava falando do clima, mas tudo bem também." Ele apertou meus seios de leve.

"Pescoço." Foi onde ele me beijou. "Promessas."

"Sério mesmo?" Minha voz soou um pouco irritada, ele percebeu.

Ele ergueu meu queixo com a mão. "Sabby, se você realmente quiser casar, podemos ir até o fórum agora mesmo. A qualquer hora. Quero que você seja feliz."

Senti meu coração se encher. Eu sabia que sim. Sabia que era verdade.

"Amor", eu disse.

"O amor por último", ele rebateu. "Primeiro sexo."

Ele me deitou na cama. Só voltamos a falar de casamento um ano depois.

21h58

"Claro que a gente era feliz", Tobias diz, ainda segurando minha mão. "Mas às vezes sinto que deixamos muita coisa ao acaso."

"Interessante", Conrad comenta. Está inclinado para a frente, com os cotovelos apoiados na mesa. Audrey dá um tapa para ele tirá-los de lá.

"Sabby achava que nós estávamos destinados a ficar juntos."

Tento soltar minha mão da sua. Me sinto como se ele estivesse me expondo publicamente. Não gosto disso. Pensei que isso fosse só nosso.

"Para", ele diz, segurando firme minha mão. "É verdade. Você sempre ficava zangada por eu não lembrar de ter te visto na exposição *Ashes and Snow*."

Ele não está errado. Mas *zangada* não é a palavra certa. Era mais para *triste*.

"Ela achava que, se era para ser, não precisava se esforçar para dar certo", complementa Jessica. "Como se a história de amor dos dois fosse tão épica que as coisas do dia a dia não importassem. Mas é sobre isso que os relacionamentos são. Coisas do dia a dia."

"Ei, eu estou aqui", digo a ela. Solto a mão de Tobias para

poder me virar para Jessica. "Dá pra você parar de falar de mim como se eu fosse uma criança que não está presente?"

Jessica revira os olhos. "Não foi isso que eu quis dizer. É que..."

"O quê?", perco a paciência. "Você não queria que eu ficasse com ele. Admite. Você fingia que gostava dele."

"Eu fui com você!", Jessica rebate, gesticulando loucamente. "Praticamente *obriguei* você a ir. Fui eu que descobri o clube de fotografia. Fui eu que levei você até a UCLA."

Tobias olha para mim com curiosidade. "Você nunca me contou como foi que conseguiu aquela foto."

"Claro que contei. Depois da exposição, eu não sabia nem seu nome. Fui até a UCLA. Descobri o clube de fotografia. Você não estava lá, mas eu comprei a foto."

"Não", Tobias responde. "Você nunca me contou isso." Ele parece incomodado, nervoso. Vermelho como se tivesse acabado de correr.

"Está vendo? É disso que eu estou falando!", Jessica continua. "Vocês sempre acharam que foi coincidência, mas não foi. Vocês queriam que tudo parecesse mágico. Não podiam aceitar que são apenas seres humanos."

Nós nos encontramos de novo, contrariando todas as probabilidades. Em Nova York! Isso era mágico.

"Eu não precisava que fosse mágico", Tobias diz, principalmente para mim. Ele ainda parece alarmado.

"Onde você achava que ela tinha conseguido a fotografia?", Audrey interrompe. "Certamente..."

"Você sabia", diz Robert. "Só não queria admitir, por causa da responsabilidade que isso traria, porque você ficaria em dívida com ela."

O tom de voz de Robert mudou. Parece quase paternal. Isso faz com que todos se voltem para ele.

"Não", eu digo. "Qual é." Porque, se for para defender um dos dois, eu escolho Tobias.

Tobias suspira. "Robert tem razão", ele diz. "Pelo menos eu acho que sim." Ele passa a mão no rosto. Sinto meu corpo ficar tenso ao seu lado. "Às vezes eu tinha medo de decepcionar você", ele diz. "Você tinha uma opinião tão elevada sobre mim. Nem sempre eu era essa pessoa."

"Eu conseguia *ver* o que existia em você", respondo. "Em nós. Vi um futuro para nós que..."

Tobias se vira para Robert. Os dois trocam olhares, e pela primeira vez na noite eu os observo assim, sentados lado a lado. Não são nada parecidos. Tobias com seus cachos e seus olhos verdes reluzentes, meu pai quase careca, com a pele manchada e os ombros curvados. Mas os dois têm um nervosismo em comum. Estão apreensivos. Eu me lembro de uma imagem, como uma fotografia, do meu pai na cozinha, remexendo os dedos e andando de um lado para o outro. Um pensamento desagradável surge na minha cabeça. Eu o afasto.

"Tudo bem", digo. "Você era humano. Eu estava errada a seu respeito. Foi culpa minha."

"Não foi isso que eu falei", ele responde. "Não foi culpa sua."

Eu levanto os braços. "Bom, se não foi culpa sua nem minha, e aí?"

A mesa fica em silêncio. Escuto Audrey pigarrear. Por fim, Conrad se inclina para a frente.

"E aí pedimos a sobremesa", ele diz. Audrey balança a cabeça. "Que foi?", ele pergunta. "Estou precisando de um doce."

Enquanto lemos o cardápio, o calor da discussão dos últimos minutos ainda paira sobre nós. As palavras no papel se embaralham e eu não consigo distingui-las. Ele me amava do jeito que eu precisava ser amada. Estar com ele era só o que importava. E se não conseguirmos resolver isso, se não for possível voltar atrás, vou perdê-lo para sempre. Não parece que estamos chegando perto nesse sentido. Na verdade, parece que estamos nos afastando.

"Suflês?", Conrad sugere, e as pessoas começam a falar sobre sorvete e torta de pêssego, e me recosto e imagino o que aconteceria se eu saísse do restaurante e fosse para casa. Eles desapareceriam. Meu pai. Audrey. Conrad e Jessica também. Mas Tobias também nunca mais voltaria, e eu não posso aceitar isso, não com tantas coisas mal resolvidas entre nós.

Quinze

Depois daquele verão, da noite de macarrão na cama e conversa sobre casamento, entramos em uma rotina durante o outono e o inverno. Trabalho, casa, jantar, sexo (às vezes), dormir. Não era mais o verão da diversão e da liberdade, era a vida — e nós não éramos sempre totalmente compatíveis.

Começamos a brigar mais do que eu gostaria de admitir. O apartamento no West Village não era sempre um ninho de amor, e nem sempre havia espaço suficiente para nós dois; na verdade, quase nunca havia. Quando morávamos com Rubiah, ou mesmo com Jessica antes dela, tinha algo que amortecia. Agora éramos só nós dois, sempre esbarrando um no outro. E às vezes colidíamos.

Mas isso era uma parte de *nós*, eu pensava. Era o que fazia nosso coração pulsar, o que nos diferenciava de Jessica e Sumir, ou da relação que tive com Paul. Nós nos amávamos e brigávamos com a mesma intensidade, e eu dizia a mim mesma que esse contato era um bom sinal. Significava que havia paixão, que nos importávamos.

Tobias havia adquirido novos hábitos nos dois anos em que ficou fora, e eu também. Apesar de não ter sido dos mais excitantes, meu namoro com Paul foi bem tranquilo. Nós nunca brigávamos, principalmente porque não havia motivos. Era como uma relação imersa em água morna — à prova de impactos. Nós nos revezávamos na escolha da comida, museus e filmes. Éramos como companheiros de equipe que passavam o bastão um para o outro sem o esforço, o estresse e a gritaria da competição, mas também sem nenhuma vitória.

Lembro que uma vez fui para a casa dele depois do trabalho e o encontrei sentado na frente do computador. Eu já tinha a chave depois de um mês ou dois de namoro — mais por questão de praticidade do que de romance ou comprometimento. “O que você está fazendo?”, perguntei.

Ele olhou para mim e me deu uma taça de vinho. Sempre havia uma à minha espera quando eu chegava. “Montando uma planilha”, disse.

Em seguida, virou o computador e me mostrou. “Está vendo? Regiões da cidade, museus, restaurantes e eventos.” Ele foi passando o dedo pela tela. “Assim não precisamos ficar consultando a *Time Out* toda hora. Estou compilando tudo para os nossos sábados. E para algumas noites durante a semana também.”

Tomei um gole de vinho. “Genial.” Era exatamente o tipo de coisa que eu teria feito, e fiquei contente por não precisar, por ele se encarregar disso. Não tive nem que pensar a respeito.

Ele sorriu. “Valeu.” E me entregou nossa pilha de cardápios de delivery. “Hoje é a sua vez.”

As similaridades de nossos estilos de vida tornavam raras as ocasiões para conflitos. As únicas brigas que tivemos, se é que podem ser chamadas assim, nunca eram sobre o relacionamento. Foram sobre onde tínhamos visto antes o ator de determinada peça, se havia participado ou não de *That ‘70s Show* (o que foi rapidamente resolvido com uma pesquisa no Google, claro). *The Washington Post* versus *The New York Times*.

O melhor lugar para uma viagem de fim de semana. Para ele: Fire Island. Para mim: Berkshires. Limpávamos a cozinha antes de ir para a cama, e nossos despertadores tocavam no mesmo horário: 7h10.

Com Tobias era o oposto. Estávamos sempre batendo de frente. Por causa da louça suja, das pilhas de roupas para lavar, do tubo vazio de pasta de dente, do aquecedor quebrado. Sempre havia um motivo para esquentar a cabeça, discutir, sair pisando firme. Era tão intenso que nos enlouquecia.

O primeiro livro que editei sozinha ia sair em março, e convidei Jessica e Sumir, David e Kendra para o lançamento. Era um romance infantojuvenil chamado *O céu por um dia*, sobre um garotinho que descobre que consegue voar. Eu estava orgulhosíssima do livro e da autora — uma escritora estreante de cinquenta anos chamada Tawnya Demarco. Mal podia esperar para compartilhar aquele momento com todos, principalmente Tobias. Queria que ele visse que eu também estava fazendo coisas importantes.

O evento era na MacNally, às seis da tarde de uma quinta-feira. Estava chovendo, e fiquei com medo de que Jessica desistisse de ir, mas ela foi a primeira a chegar, seguida por Sumir, vinte minutos depois. David apareceu com um novo namorado, Asher.

David me abraçou. “Parabéns, linda! Estou ansioso para ver Tobias”, ele disse. “Faz anos que nós não nos vemos, literalmente.”

Tínhamos planejado jantar mais tarde em uma pizzaria aconchegante ali perto chamada Rubirosa, que era bastante disputada. Precisei fazer a reserva com um mês de antecedência.

“Ele também está ansioso para te ver!”, falei.

Tobias não era muito sociável. Era carismático e envolvente, e quando conversava com as pessoas demonstrava um interesse genuíno nelas, mas nunca queria fazer programas diferentes. No começo, antes de ir para a Califórnia, ele se esforçou para conviver com os meus amigos, mas parecia que sua tendência natural ao isolamento estava ficando pior com o tempo. *Por que sair?*, ele dizia. *Tudo o que eu quero está bem aqui.*

Tawnya estava nervosa. Servi a ela meia taça do vinho tinto barato que nosso departamento de divulgação tinha providenciado e disse que daria tudo certo. Ela ia ler um trecho do livro e depois responder a perguntas da plateia. Fui até o microfone e pedi para as pessoas se sentarem. Jessica, Sumir, David e Asher estavam na segunda fileira. Jessica fez um joinha para mim. E Tobias, onde estava?

"Muito obrigada por terem vindo", falei. "É um orgulho para mim apresentar a vocês essa escritora e seu lindo livro..."

Contei que me apaixonei pelo livro na primeira leitura e que Tawnya era muito talentosa e dedicada. Quando me sentei, as pessoas aplaudiram efusivamente a entrada dela, mas Tobias não estava lá. Durante toda a leitura, fiquei olhando para trás, na expectativa de vê-lo, mas ele não foi.

Depois de cumprimentar Tawnya e acompanhá-la até a mesa dos autógrafos, peguei meu celular. Havia uma chamada perdida e uma mensagem de texto. *Desculpa, amor, ainda estou trabalhando. Manda um oi pros seus amigos e arrasa. Te amo.*

Fiquei olhando para aquelas palavras. *Seus amigos*. Não nossos. Não David, Jessica e Sumir.

"Quando você vai conseguir ir?", Jessica perguntou. Ela estava com um exemplar autografado do livro debaixo do braço. "Cadê o Tobias? Ele vai encontrar a gente lá?"

Dei um sorriso forçado. "Ele está enrolado no trabalho. Não vai poder vir."

Percebi que Jessica olhou de esguelha para Sumir. Eu sabia o que ela estava pensando: *Se o meu marido consegue vir ao seu evento, por que o seu namorado não?*

Fomos jantar e todos celebraram o lançamento do livro, mas eu estava com a cabeça em outro lugar. Queria que ele estivesse lá, compartilhando o momento comigo. Mais do que isso, queria que ele entendesse como aquilo era importante para mim. Queria que ele existisse no mundo comigo, no mundo real — o mundo em que estavam meu trabalho, meus amigos e minha vida. Não só o mundo do nosso apartamento.

Quando cheguei, ele estava vendo TV no sofá.

"Como foi?", ele perguntou. Desligou a televisão assim que entrei. "Me conta tudo." Ele me deu um buquê de girassóis. Ainda era inverno; não sei onde ele conseguiu encontrar aquelas flores.

"Legal", respondi. "Senti sua falta."

"Desculpa", ele falou. "Estava ocupado tirando umas fotos. O pôr do sol foi incrível hoje. Você viu?"

"Pensei que você estivesse trabalhando", falei.

"Eu tava", ele disse.

Eu não estava a fim de brigar. Fui colocar os girassóis na água, porque ele não pôs.

Naquela noite fiquei pensando no olhar que Jessica lançou para Sumir, e em David, que tinha ido com o cara com quem estava saindo.

Tobias tinha aprendido meditação transcendental em LA. Gostava de acordar de manhã, sentar em uma cadeira e meditar por vinte minutos, como se fosse um protocolo. Mas nosso apartamento era minúsculo e, com duas pessoas, não havia espaço para o silêncio e a pressa pela manhã. Eu entrava no trabalho às nove, o que significava que precisava sair às oito e meia. Tentava ir a pé para a editora, porque não tinha tempo para ir à academia, mas quase sempre acabava pegando o metrô. Precisava circular ao redor de Tobias, abrindo gavetas, à procura de meias-calças e sapatos que combinassem, enquanto ele ficava lá com os olhos fechados, tentando entrar em sintonia com o universo.

"Você não pode separar tudo à noite?", ele perguntava.

"Você não pode fazer isso depois que eu sair?", eu retrucava. Tobias tinha um horário de trabalho flexível. Seu emprego estava se tornando ainda menos estimulante que o da Digicam, e, à medida que o outono virava inverno e o inverno virava primavera, até mesmo as sessões comerciais de fotos foram rareando. Ele ainda estava empregado, mas provavelmente — na minha opinião, que eu nunca compartilhava com ele — mandavam outras pessoas para produzir o material dos anúncios, porque Tobias não fazia a menor questão de esconder seu desdém por esse tipo de fotografia. O chefe dele estava viajando mais, mas levava outros assistentes para as sessões. Não comentei isso com Tobias porque sabia que era uma questão delicada, porém mais de uma vez me perguntei por que ele não procurava outra coisa. Não era fácil encontrar trabalho nessa área, eu sabia, e também sabia que essa seria a resposta dele se eu tocasse no assunto. Ele vinha atrasando cada vez mais o aluguel, que pagava para mim porque, por razões burocráticas, era o meu nome que estava no contrato. Às vezes ele se esquecia completamente, e quando eu o lembrava, semanas depois, ouvia um milhão de desculpas. "Me desculpa, sério mesmo", ele dizia. "Eu esqueci. Te dou o dinheiro na semana que vem."

"Ele precisa se mexer", Jessica me falou, em uma das poucas vezes que nos encontramos para almoçar naquele outono. Fomos comer em uma rede de restaurantes gregos que nós duas adorávamos. "Você quer ter filhos. Quem vai prover a família?"

"*Prover?*", perguntei. "Alguém ainda usa essa palavra?"

"Eu uso." Jessica olhou bem para mim. "Você ganha, tipo, menos que um salário mínimo." Ela se interrompeu. "E o resto, como está?"

"Bem", falei, me mexendo na cadeira.

"Quer que o Sumir converse com ele? Você sabe que ele adora o Tobias; nós dois adoramos. Mas acho que está na hora de vocês encararem a realidade."

"E que realidade seria essa?", perguntei.

"Um dia vocês precisam virar adultos."

Pensei em Jessica na época da faculdade — acendendo incenso na cozinha e energizando cristais no parapeito da janela do nosso dormitório. O que ela pensaria se ouvisse o que ela mesma estava falando naquele momento? Ficaria decepcionada? Furiosa? Se sentiria traída?

Aquela era uma preocupação — eu não queria trair Tobias, nem a mim mesma. Estávamos destinados a ter uma relação épica. A driblarmos a normalidade. Eu não culpava Jessica por não conseguir entender, mas também não sabia como explicar para ela que aquelas regras não se aplicavam a nós.

Um dia, no final de abril, eu estava atrasada para o trabalho. Havia uma reunião importante de lançamento marcada para as nove horas na Random House, um encontro trimestral em que os editores apresentavam os novos títulos para as equipes de vendas e de marketing. Eu precisava terminar um PowerPoint para minha chefe e tinha que chegar às oito, mas acordei atrasada.

Estava revirando o quarto todo, abrindo todas as gavetas, à procura da minha calça marrom de veludo.

"Você pode fazer menos barulho?", Tobias perguntou de seu poleiro meditativo.

"Não", respondi. "Não posso. Estou atrasada. *Eu* tenho hora para entrar no trabalho." Me arrependi assim que falei, mas já era tarde demais. Não havia como voltar atrás.

"Uau", Tobias falou, abrindo os olhos. "Que bela maneira de pôr isso pra fora."

"Só quis dizer que sua sessão é só à uma", eu disse. "Você pode meditar depois que eu sair."

"O apartamento também é meu", Tobias falou. "Apesar de você agir como se não fosse."

Ele saiu do quarto. Me lembro de ter visto ele sair. Ele ainda estava de calça de moletom.

Eu não agia como se o apartamento fosse só meu. Era nosso. Tínhamos nos mudado juntos. Mas eu acabei assumindo o papel da pessoa responsável. Às vezes me sentia como se fosse a mãe dele. Era eu que lavava a louça quando ficava empilhada na pia, que via se o leite tinha acabado ou estragado. Era eu que ligava para o zelador quando o aquecedor parava de funcionar e comprava lâmpadas novas quando as da cozinha queimavam.

Cheguei em casa naquela noite e o encontrei na cozinha. Estava de calça de moletom; eu não sabia se ele tinha ido trabalhar ou não. Mas ele estava fazendo lasanha, meu prato favorito. Senti o cheiro do alho e do molho de tomate borbulhando na panela, e quando guardei minha bolsa e fui para a cozinha ele estendeu a colher de pau para que eu provasse.

"Está perfeito", falei. Não conversamos sobre aquela manhã, mas eu sabia que esse era seu jeito de se desculpar, de reparar as coisas.

"Mais sal?"

Fiz que não com a cabeça. Dei um beijo nele com molho de tomate nos lábios. “Perfeito.”

Fiz uma salada com rúcula, cebola e pinoli que encontrei no armário. Tobias sempre comprava ingredientes caros demais para o nosso orçamento, mas dessa vez não me importei. Me senti grata por tudo, pelo modo como a comida nos reaproximava. Comemos no chão da sala porque não tínhamos mesa, e porque tinha algo de romântico em sermos jovens apaixonados e sem dinheiro. E quando se é jovem apaixonado e sem dinheiro a gente come lasanha sentado no chão. Mesmo assim, eu sabia que era diferente não ter dinheiro aos vinte e dois e aos vinte e oito.

Não falei sobre trabalho porque sabia que nesse ponto nós concordávamos — aquilo também não era o que Tobias queria. Eu sabia que, para ele, aquela era a pior situação possível. Não havia criatividade nem animação envolvidas. E nem pagava bem. O que eu não sabia, e me apavorava, era se ele achava que a culpa era minha. Se tinha se arrependido de ter desperdiçado as oportunidades que teria em LA, e se estar comigo ainda compensava a decisão que tinha tomado.

Nós transamos na poltrona que tinha vindo conosco do outro apartamento, e deixamos as louças empilhadas na pia. Na noite seguinte, quando cheguei do trabalho, estava tudo lavado e guardado.

22h10

Pedimos as sobremesas. Quatro suflês. Jessica pede sorvete. Audrey e Robert pedem cappuccinos, e Tobias e eu, espressos.

"Sabe o que acho que precisamos?", Conrad pergunta. "De um intervalo."

"Não temos tempo", digo. "Isto não pode passar da meia-noite." Uma única noite. A justiça aqui é apenas poética.

"Ainda temos duas horas", Robert diz, como se fosse muita coisa.

"O que você está pensando em sugerir?", Audrey pergunta para Conrad. "Uma conversa sobre política não ajudaria em nada a descontrair."

"No clima atual, não mesmo." Conrad balança a cabeça. "Se bem que muitas vezes me pergunto o que as pessoas da sua geração que não estão mais aqui pensariam sobre o mundo de hoje."

"Nada de bom", Audrey responde. "É estarrecedor."

"É mesmo", Conrad concorda.

"Todos andam tão rápido hoje em dia", Robert diz. "É impossível acompanhar."

"E como é?", Conrad quer saber. Fico esperando que ele vá sacar a caderneta do bolso, mas ele não faz isso.

"É bom", Robert responde. "Não é ruim."

"Não mesmo", Audrey acrescenta. "Não é ruim. A parte de morrer eu preferia ter pulado, mas o resto é... até que agradável. Não há o que temer."

"Não!", Robert complementa, como se fosse a coisa mais óbvia. "Não existe motivo nenhum para ter medo."

Tobias está em silêncio. Conrad se vira para ele. "E para você?"

"É diferente", Audrey diz. O tom de voz dela mudou. É mais solidário.

Tobias assente. "É."

"Como assim?", pergunto. Meu coração dispara. Tobias está em um lugar em que não gostaria de estar? Está sofrendo?

"É mais um meio-termo", diz. Ele sorri para mim, o tipo de sorriso que sei que exige esforço, que é apenas para me tranquilizar.

"E o que isso quer dizer?", insisto.

Ele se inclina na minha direção e prende uma mecha do meu cabelo atrás da orelha, apesar de não estar caída sobre o meu rosto. "Quer saber do que eu lembro?"

"O quê?" Me sinto prestes a chorar. Ele está tão próximo, e suas palavras são tão carinhosas...

"Daqueles dias com você na praia."

"Onde você está?", pergunto de novo. Mas então uma ideia me ocorre. Se ele não está lá, se não está onde Audrey e Robert estão, então existe mesmo uma chance para nós. Posso mesmo fazer ele voltar. Ele não está tão distante quanto os outros.

"Meus primeiros anos com as crianças", Audrey diz, do outro lado da mesa. "Se formos relembrar os melhores momentos."

Tobias volta a me olhar, e sinto vontade de voar por cima

da mesa e esganar Audrey. Estávamos tão perto, a um sopro de alguma coisa, antes de ela falar.

"E Paris", ela complementa, nos afastando ainda mais do momento anterior. "Eu sinto saudade."

"Claro", Conrad diz, pondo a mão de leve no pulso dela. "Robert?"

"Meus melhores momentos?"

Conrad assente. Escuto Jessica suspirar alto ao meu lado. "Meu primeiro ano sóbrio. O nascimento de cada uma das minhas filhas."

"Elas são parecidas com Sabrina?", Audrey pergunta.

Robert sorri. "Gosto de pensar que sim. Como falei antes, Daisy gosta de cantar. Está no conservatório aprendendo teatro — a dirigir, escrever e atuar. Sei que a mãe dela se preocupa com uma carreira artística, mas acho que ela vai ficar bem."

"Ela é talentosa?", Audrey quer saber.

"Muito", ele diz. "E teimosa... como você, será que eu posso dizer?" Robert olha para mim e pisca algumas vezes rapidamente. "Alex é muito mais reservada. Amadureceu rápido; sempre foi muito responsável, e se casou bem jovem, na verdade. Eu ainda estava por perto."

"Você a levou para o altar", digo.

"Sim."

"Que bom para ela." Eu não quero, mas ainda estou amargurada. Sinto esse sentimento na garganta como se fosse o resquício de um xarope para tosse — viscoso e denso. E, como o tempo está acabando, eu digo a ele de uma vez.

"Você melhorou, e elas tiveram um pai. Só o que tive foi um bêbado que foi embora antes mesmo de eu conseguir me lembrar do porquê."

Robert suspira. "Eu nunca vou ter como compensar o

que aconteceu, mas gostaria que você as conhecesse", ele diz. "Elas sempre quiseram te conhecer."

Eu sei disso. Tenho uma carta de Alex guardada em uma caixa em casa. Nunca abri, apesar de já fazer mais de dez anos. Por algum motivo, sinto que entrar em contato com ela seria como trair minha mãe. Querer mais do que o que ela me proporcionou. Então não respondi.

Mas ela não está aqui hoje. Só Robert.

"Alex é dentista, você disse?", Conrad pergunta.

Vejo os olhos de Robert brilharem. "Está estudando para ser ortodontista. É muito inteligente, e está se saindo muito bem. Oliver..." Ele dá um tapinha no bolso do casaco e então parece se lembrar.

"É verdade o que dizem", Audrey explica. "A gente não leva nada daqui."

Conrad dá uma risadinha. "Eu vou tentar mesmo assim."

Jessica estreita os olhos. "Quer dizer que você não está..."

"Morto?", Conrad quase grita. "De jeito nenhum! Estou vivíssimo. De onde você tirou essa ideia?"

Jessica encolhe os ombros. "Você passa essa impressão."

"De estar morto?", Conrad questiona. "Que lisonjeiro."

"Não, ela está falando de sabedoria", Audrey esclarece. "Sobre a vida, sobre o que faz sentido. Isso combina mais com os vivos."

"Sei que não tenho o direito de pedir nada a você", Robert me diz. "Mas, se pudesse, gostaria que você fosse conhecê-las. Poderia ajudar."

"Ajudar?"

"Sabby", diz Tobias. "Você sabe o que ele quis dizer."

"Não acho que ajudaria", respondo.

"Pode ser que sim", comenta Jessica. "Você não sabe."

Olho para Jessica porque, de todos aqui, ela é quem poderia entender. Sua mãe teve outra família. Jessica tem três irmãos mais novos que ajudou a criar. Sua mãe era adolescente quando ela nasceu, e adulta quando teve os outros filhos. E então morreu e deixou Jessica encarregada de tudo.

"Eu amo meus irmãos, você sabe disso", ela diz, como se estivesse lendo meus pensamentos. "Eles fizeram boa parte de tudo valer a pena. E essas meninas sentem falta do pai. Assim como você."

"Eu nem o conheço", respondo.

Olho para Robert. Ele está sentado com uma postura reta, o rosto impassível, mas seus olhos estão arregalados. Consigo ver o sofrimento que meu comentário causou, mas vejo outra coisa também. Ele parece esperançoso.

"Tenho muitos arrependimentos", Robert diz. "Deveria ter deixado mais dinheiro para Jeanette. Ela está bem, mas eu me preocupo. Gostaria que as meninas fossem um pouco mais velhas. Não vou ver Daisy se formar. Ela precisa de um pai. Briga bastante com a mãe. Eu queria ter conhecido meu neto."

"Preciso mesmo ouvir tudo isso?", pergunto.

"Sim", diz Robert. É a primeira vez na noite que o ouço falar com autoridade. Ele parece mais alto e mais jovem. "Tenho muitos arrependimentos, Sabrina. Em relação à minha família inteira. Mas estou aqui com você. Hoje estou aqui com você."

A felicidade é uma escolha.

"Ele tem razão", diz Tobias. "Por mais que esteja brava, e por mais que deteste a gente, estamos aqui por você. Todos nós."

Isso é mais do que eu consigo suportar. Tobias no purgatório, Robert expondo seus arrependimentos, e eu, de luto pelos dois, para completar. "Alex me mandou uma carta", digo. "Eu nunca abri. Era muito..." Olho para Robert. "Acho que eu não queria que fosse tão fácil."

Robert baixa os olhos para a mesa. Ele leva a mão fechada à frente da boca e limpa a garganta.

Nossos cafés chegam nesse momento.

"Ah, que adorável, tem desenhos na espuma! Eu ainda não tinha tido a chance de ver isso", Audrey exclama. Ela junta as mãos e fica olhando para a xícara. Nem parece encenação, apesar de ela ser uma atriz.

"*Você* é adorável", Conrad diz a ela.

Audrey fica vermelha.

"E eu não detesto vocês", digo para Tobias. Mas sei que a mesa inteira está ouvindo. "Sinto falta de vocês." Levanto um pouco os olhos quando digo isso e troco um olhar com Robert.

Dezesseis

Em nosso último verão juntos, Tobias foi fazer um trabalho nos Hamptons, uma sessão de fotos do novo hotel Montauk Inn. Tirei um dia de folga e fui para a praia com ele. O inverno tinha sido difícil, e a primavera mais ainda. A insatisfação dele com o trabalho e nossas rotinas conflitantes estavam cobrando seu preço. Eu sabia que precisávamos daquele tempo juntos. Ele também, por isso providenciou tudo. Conseguiu um chalé na praia (pago pelo cliente), pediu que eu tirasse um dia de folga e comprou meu vinho favorito para levar na viagem.

Tobias pegou emprestado o carro de Matty (agora ele tinha um) e viajou na quinta-feira. Eu fui na sexta, e o encontrei na estação de trem de Montauk. Peguei a LIRR depois do trabalho, o que não fazia desde nosso primeiro ano de Nova York, quando o chefe de Sumir emprestou sua casa de praia por um fim de semana, e Jessica e eu embarcamos com vinho barato, um jogo de tabuleiro e sacos de pipoca. Só íamos passar um feriado prolongado, mas parecia como se fosse um mês inteiro.

Quando o vi na plataforma, segurando um único girassol, soube na hora que estávamos bem. Era ele. Tobias. O *meu* Tobias. Não o cara ranzinza e acabrunhado que às vezes aparecia na nossa casa, mas o garoto por quem me apaixonei no Píer de Santa Monica tantos anos antes.

Pulei nos braços dele. Ele me levantou e me rodopiou no ar. Dava para sentir o cheiro de água salgada em seu corpo. "Nós devíamos ir mais à praia", ele disse.

Naquela noite, cozinhamos lagosta, que comemos com molho de manteiga na varanda do chalé. Eu tinha levado quatro garrafas de vinho branco, além do tinto, e bebemos duas delas aconchegados em uma poltrona. Eu estava usando seu moletom — um bem velho da UCLA que tinha o cheiro dele. Lembro de pensar que aquele era o céu em que eu gostaria de estar — exatamente desse jeito. Nós dois, bastante manteiga e o pôr do sol — que deixava tudo mais fluido, etéreo e dourado.

"Por que a gente briga?", ele me perguntou. "É desnecessário. É bobagem." Ele aninhou o rosto no meu pescoço. Senti seu nariz roçar minha clavícula.

"Eu sei", falei. "É bobagem. Eu só quero que você seja feliz, e às vezes sinto que não está."

"Estou, sim", ele disse.

"Agora." Eu me sentei direito e coloquei a mão em seu peito. "Mas às vezes parece que você me culpa pelas coisas do trabalho. Como se você fosse estar fotografando para a *Vanity Fair* a esta altura se tivesse ficado na Califórnia."

"Isso não faz sentido", ele falou, mas fazia, e eu sabia disso. Ele estava se esforçando para moderar o tom de voz.

"Faz sim." Virei seu rosto para mim e olhei em seus olhos. "Você voltou por mim, mas isso não basta se não estiver feliz aqui. Eu te amo, mas isso não quer dizer nada se você não estiver feliz."

Tobias me ajeitou em seu colo. Aproximou o rosto do meu para que eu não pudesse ver suas feições, só um quadrado liso de sua pele. "Eu coloquei a culpa na situação", ele falou, com voz grave e rouca — quase um sussurro. "Mas não quero mais fazer isso."

Senti seu coração contra o meu peito, o calor de seu hálito no meu queixo. "Ok", eu disse.

"Não é justo, eu sei. Mas preciso que você me perdoe."

"Tobias."

"Por favor?", ele disse. Não foi bem uma pergunta.

"Claro", respondi.

Eu o beijei, e ele me abraçou. Em seguida me carregou até o quarto. Era todo branco e azul com pequenos toques de verde-água.

Não pensei muito a respeito. Não pensei sobre o que significava o que ele tinha admitido para mim. Me concentrei no fato de que ele estava disposto a virar a página. Em um instante, ele decidiu que nosso futuro era mais importante que nosso passado. Simples assim.

"Vamos ficar aqui", ele disse. Estávamos na cama, sem roupa, nossas pernas entrelaçadas como se fossem raízes.

"Podemos viver de pesca", falei.

"Eu aprenderia a caçar."

Eu ri. A ideia de Tobias caçando qualquer coisa era cômica. Ele não comia carne vermelha fazia seis meses — ele achou que eu não tinha reparado, mas eu tinha. Ele deixou um exemplar de *O dilema do onívoro* pela casa. Não tocou no assunto, mas começou a mudar sua dieta. Parou de pedir hambúrguer — não que ele só comesse isso, claro. Mas ele começou a comprar carne vegana e a preparar cogumelos portobello como proteína.

"Eu colheria plantas, castanhas e sementes. A gente podia construir uma casa de bambu."

Tobias ergueu uma sobrancelha para mim. "Uma casa na árvore?"

"Fresca no verão, quentinha no inverno", falei.

"Parece perfeito", ele disse. Me acariciou por baixo da coberta. "Só nós dois."

Não pensei muito nesse comentário, mas deveria. Todas as nossas fantasias — as dele, as minhas e as que tínhamos juntos — envolviam nós dois sozinhos, em algum lugar onde outras pessoas e o mundo, com suas demandas políticas e sociais, não pudessem nos atingir. Nossos melhores momentos aconteciam quando estávamos em um universo à parte, sem interrupções. Na praia, no nosso apartamento, em um quarto com as janelas fechadas. Nosso problema não era um com o outro, era entre nós e o mundo — um mundo que exigia que conciliássemos nosso romance com a realidade. *Se ao menos*, lembro de ter pensado, embora não soubesse direito o quê.

22h17

"Você quer falar alguma coisa?", pergunto para Jessica. Ela está se mexendo e bufando na cadeira há um tempo — um sinal de que tem alguma opinião a dizer.

"Vocês não se importam com o que eu penso", Jessica responde. "Então por que pergunta?"

"Isso não é verdade", Tobias fala antes de mim. "Eu me importo."

Jessica bufa e revira os olhos para ele. Mas de um jeito amigável. Eu me lembro dos dois jogando baralho no chão da sala, e de Tobias descartando uma boa mão só para deixá-la ganhar.

Robert está distraído com seu cappuccino. Do outro lado da mesa, Conrad e Audrey se inclinam mais para perto.

Abro a boca para dizer alguma coisa, para argumentar, dizer que quero sua opinião, sim, é claro, mas penso no que ela falou. Quando Tobias e eu estávamos juntos, eu não me importava mesmo. Me senti primeiro pressionada, depois irritada — além de chateada por ela ter cortado esse contato que a gente tinha. De amigas de longa data. Para o que desse e viesse. Queria estar na mesma situação que ela, mas sabia que Tobias não estava preparado para aquele tipo de vida. Talvez eu me ressentisse por ela ter essa vida.

"Eu também me importo", digo.

Jessica suspira e prende o cabelo atrás da orelha. "Vocês dois achavam que amavam mais que o outro."

Para ser sincera, era assim que me sentia mesmo. Eu tinha ido atrás dele. Comprado aquela fotografia. Eu me apegava à nossa relação como se fosse uma espécie de estrela-guia. E, mais tarde, fui eu que comecei a pisar em ovos quando as coisas ficaram difíceis, eu que fazia concessões e andava na ponta dos pés pelo quarto e pagava o aluguel sozinha e tomava todo o cuidado ao dizer qualquer coisa.

"Talvez isso seja verdade", diz Tobias, o que me deixa surpresa. Não pensei que ele compreendesse o desequilíbrio no nosso relacionamento em termos tão amplos.

"Eu te amava mais", digo. "E entendo, fui eu que escolhi esse papel, mas era assim. Jardineira, lembra?" Tento forçar um sorriso.

Tobias passa a mão pelo rosto. Os músculos de seu pescoço ficam tensos. É a primeira vez na noite que noto um incômodo nele — talvez seja raiva. Ele a exala como se fosse perfume.

"Só de você achar isso já quer dizer que não é verdade", Tobias diz. "Você não me amava mais que eu. Se tinha alguma diferença, era eu que te amava mais. Abri mão do meu emprego pra voltar pra você. E você nunca me aceitou totalmente de volta. Tinha sempre uma rota de fuga."

Essa mudança familiar em sua voz faz meu estômago se revirar. É o mesmo tom que ele usava nas manhãs em que nos estranhávamos. Jessica balança a cabeça ao meu lado, o que me deixa tão irritada quanto ele.

"Estão vendo?", Jessica diz. "Vocês começaram a se ressentir por causa das coisas que achavam que tinham deixado um pelo outro, e esse ressentimento tomou conta... empurrava tudo de bom para longe. Foi difícil assistir a isso."

Tobias balança a cabeça. "Queria muito que você fosse feliz, Sabby. Mas às vezes parecia impossível."

"Para mim também parecia impossível", digo. Estou sendo teimosa, difícil — não era para isso estar acontecendo agora. Não é assim que vamos conseguir voltar.

"Então vocês se amavam demais", Robert comenta. "Isso é possível? Quando você ama, existe alguma régua para medir isso?"

Fico pensando a respeito. Nunca imaginei que o meu amor por Tobias tivesse barreiras, limites, quantidade. Era infinito. E eu achava que não tinha escolha. Nós nos reencontramos — em Nova York! — contrariando todas as probabilidades. Nossa história não podia terminar de outro jeito que não fosse nós dois juntos — mesmo se isso nos deixasse infelizes às vezes.

"A pessoa que acredita que ama mais também acha que cede mais", Jessica diz. Sua voz muda para aquele tom de guru que ela usava quando nos conhecemos. "E isso pode levar a ressentimentos."

"Porra, jura?", Conrad diz.

Todos nós nos viramos para ele, surpresos. Conrad não tinha xingado nenhuma vez a noite toda.

"Essas coisas não são perfeitas", Conrad continua. "Quando conheci minha mulher, estava indo bem mal. Tinha acabado de ser demitido da primeira universidade em que trabalhei. Estava sem dinheiro. Achava que talvez nunca mais fosse voltar a dar aula."

"O que aconteceu?", Audrey pergunta. Sua voz fica um pouco ofegante, e ela põe a mão no braço dele.

"Corte de verba no departamento. Eu tinha sido contratado há pouco tempo, então fui o primeiro a ser mandado embora. Não era nada pessoal, mas foi duro para mim. Eu tinha vinte e sete anos, sabe como é."

Audrey assente.

"Ela trabalhava na biblioteca municipal de Santa Rosa, onde eu ia estudar e ver os classificados de emprego. Isso foi antes da internet, claro. A gente só tinha papel e caneta à disposição."

Conrad dá uma risadinha. "Nós nos apaixonamos conversando sobre Faulkner e Yeats. Ela me indicava novos livros sempre que me via. Depois de um tempo, me convidou para jantar, disse que cozinharia para mim. Eu devia estar um trapo."

"Onde você morava?", Jessica quis saber.

"Em uma pensão velha", Conrad falou. "Em um quarto com uma pia. Fiquei com vergonha de levá-la até lá, então sugeri um piquenique no parque."

"Que amor", Audrey diz, com os olhos arregalados.

"Ela apareceu com um cesto cheio de queijos e um strudel que tinha feito. Até hoje é a melhor coisa que já comi na vida. Ela me acolheu depois disso. Tinha um apartamento no subúrbio, onde morei por dois anos, fazendo uns bicos, antes de aparecer outro emprego em universidade. Ela bancava todas as contas durante esses dois anos com seu salário de bibliotecária. Eu jamais teria como retribuir isso."

Conrad desvia o olhar, e percebo uma coisa que estava bem diante do meu nariz a noite toda.

"O que aconteceu com ela?", pergunto baixinho.

Conrad olha bem para mim. "Alzheimer precoce", diz. "Já faz cinco anos."

"Eu sinto muito", Robert entra na conversa. "Deve ser muito sofrido."

"Ela não quis viver muito tempo assim. Quando recebeu o diagnóstico, me fez prometer."

"Não sabíamos disso", Audrey diz. "Minha nossa. Estou

me sentindo muito mal agora." Ela dá um tapinha no braço dele onde sua mão estava pousada. Agora não está mais.

"Quantos anos ela tinha?", Jessica quer saber.

"Sessenta e quatro", diz Conrad. "Muito nova."

"Nova demais", concorda Jessica.

Sinto um nó na garganta, tão intenso que fico com medo de que, se respirar muito fundo, eu acabe me desmanchando em soluços. Esse homem. Esse homem está sentado aqui a noite toda, ouviu com atenção, foi acolhedor e paciente, ele também perdeu alguém. E a teia que nos une, que une todos nós — inclusive as pessoas que deveriam estar aqui, mas não estão — faz minhas mãos começarem a tremer.

Estamos aqui com você, foi o que Tobias disse. Agora eu entendo o que isso significa. O tamanho do sacrifício que todos eles estão fazendo.

"Nós dois amamos mais do que o outro", Conrad diz. "Só que em momentos diferentes."

Olho para Tobias. *O amor é um estado de espírito.*

"Você deve sentir muita falta dela", digo para Conrad.

Ele assente. E então faz uma coisa curiosa. Dá uma piscadinha para mim. "Mesmo assim", diz, do outro lado da mesa, mas como se estivéssemos só nós dois ali. "A vida não para."

Dezessete

A primeira noite na praia se transformou em manhã, e a névoa de amor, vinho e sexo ainda pairava sobre nós quando acordamos cedo e fomos para Amagansett no carro de Matty. Encontramos um lugar para estacionar sem dificuldade — ainda era cedo, e as ruas estavam quase vazias. As únicas pessoas circulando por ali eram pais ou mães com filhos pequenos, possivelmente para que seus consortes pudessem dormir até mais tarde. Triciclos iam devagar pela rua, batendo as rodinhas de trás. Um casal com roupas de ginástica passa por nós, conversando.

Compramos cafés e muffins no Jack's e depois fomos andando até a praia. Era cedo, talvez sete da manhã, e eu ainda estava usando o moletom de Tobias. Além de algumas pessoas correndo e duas mulheres fazendo ioga, a praia era nossa. O ar salgado estava frio, o café estava quente e a areia estava molhada. Dobrei a barra da minha calça jeans, e resolvemos caminhar um pouco.

"Estou contente por termos vindo para cá", falei. "Aqui é o paraíso."

A praia estava enevoada e cinzenta — parecia aconchegante como uma lareira e vinho tinto no inverno. Cresci na Califórnia, mas para mim não tem nada melhor que uma praia da Costa Leste. Enquanto andávamos pela orla, fiquei com a sensação de que, se eu jogasse uma garrafa no mar, ela seguiria seu caminho até chegar a seu destino. Na praia tudo parecia amplo, aberto e calmo — que era, naquele momento, o que eu sentia em relação a nós. Os detalhes da vida que estavam pesando não existiam por lá. Não havia despertadores, nem conflitos de agenda, nem trabalhos desestimulantes.

"Também estou contente por termos vindo", Tobias disse. Ele me puxou para si e me beijou no rosto.

"A gente devia voltar no inverno. Aposto que fica tudo vazio."

"Psiu", Tobias falou. "Vamos nos concentrar no agora."

Ele segurou minha mão. Seus dedos estavam quentes por causa do copo de café, e entrelacei os meus com os seus. Continuamos andando assim, quase sem falar, por uma meia hora. O mar era meditativo — o quebrar das ondas era energizante e relaxante ao mesmo tempo.

Quando Tobias se apoiou sobre um dos joelhos, pensei que tivesse caído.

Estendi a mão para ajudá-lo a levantar. Eu estava olhando para o mar. Só quando o ouvi dizer meu nome que me virei e percebi que ele estava ajoelhado.

Ele estava com aquele sorriso — reluzente e aberto, com um leve toque de malícia. "Ei, Sabby. Queria pedir uma coisa para você."

"Não", falei, embora estivesse sentindo o exato oposto. Tudo em mim — cada célula do meu corpo — gritava *sim*.

"Eu te amo. É simples e complicado assim. Não existe mais ninguém no mundo para mim. É você."

"Você tá brincando", falei. "Para com isso. Qual é." Eu não conseguia acreditar. Parecia surreal — como se estivéssemos em uma aquarela que poderia ser apagada a qualquer momento.

“Não estou, não.” Tobias olhou para mim, e vi o garoto que conheci tantos anos antes em uma praia muito diferente, em outro oceano. “Sabrina, quer casar comigo?”

As ondas quebravam perto de nós, e me lembro que quis gritar minha resposta. Queria competir com a força selvagem da água. Mas me lembrei da nossa conversa de um ano antes, e da resistência de Tobias.

“Tem certeza?”, falei, tentando nos trazer momentaneamente de volta para o chão. Não queria que fosse por minha causa. Queria que fosse por ele. Por vontade dele.

Tobias sorriu. Era quase uma risada. “Eu aqui te pedindo em casamento, e você me pergunta se tenho certeza.”

“Sim”, falei.

“Bom, agora complicou. Você está dizendo sim e me perguntando se tenho certeza, ou...”

“Sim”, repeti, interrompendo-o.

Ele me puxou para a areia e me beijou. Não tinha aliança; eu nem me dei conta.

Voltamos para o chalé, bebemos champanhe gelada e, quando começou a chover, levamos o edredom da cama para o sofá e assistimos o mesmo filme daquela primeira vez — *A princesa e o plebeu*. Tobias tinha baixado no computador e ligado na TV com um cabo.

Tobias tinha feito uma reserva no Grill — um lugar chique no East Hampton —, mas acabamos cancelando. Em vez disso, comemos as batata chips com creme de cebola que os donos do chalé deixaram como um presente de boas-vindas e bebemos o vinho tinto que Tobias levou.

Não fizemos ligações histéricas para a família nem postagens no Instagram. Só o que importava naquela praia da Costa Leste éramos nós e a promessa que fizemos um para o outro. *Para sempre.*

22h38

Alguma coisa está acontecendo entre Conrad e Audrey. Estamos esperando a sobremesa, mas eles se viraram um para o outro e nos últimos três minutos não estão prestando atenção em mais ninguém. Ele põe mais água no copo dela e, com um floreio, pega o guardanapo que caiu no chão. Nós abandonamos nossas conversas paralelas e começamos a observá-los como se fosse o desfecho de um filme.

"Isso não tem como acabar bem", Jessica cochicha para mim.

"Por quê?", pergunto.

Jessica me olha como se estivesse falando com uma louca. "Ela está morta, esqueceu?"

Penso na esposa de Conrad, em como ele deve estar se sentindo sozinho nos últimos anos, no que ele não daria para poder jantar com ela. Mas, como ele mesmo disse: *A vida não para*.

Conrad se inclina para a frente e sussurra alguma coisa no ouvido de Audrey, que ri e leva a mão delicadamente ao coração.

"Com licença", Jessica diz para eles. "Mas qual é a graça?"

Audrey parece pega de surpresa, como se por um momento tivesse esquecido onde estava. "Ah", ela diz. "Ah, desculpe. Conrad estava me regalando com uma anedota sobre teatro."

"Com certeza a gente também ia gostar de ouvir", Jessica responde. Ela está alfinetando os dois, mas provavelmente só Tobias e eu percebemos.

"Bobagem, nós somos os velhinhos aqui. Estamos só relembrando", Conrad diz.

"Eu juro", Audrey diz. "Acho que não conseguiria viver nos dias de hoje. Esses telefones celulares... todo mundo com a cara enfiada neles."

"Nem fale", diz Robert. "As meninas não largam essas coisas. Eu detestava, mas sei que agora minha mulher gosta. Quando não está por perto, ela pode fazer um..." Ele levanta a mão diante do rosto como se estivesse falando com ela.

"FaceTime?", sugere Tobias.

"Isso. Um FaceTime com o bebê."

"Como você sabe disso?", pergunto. "Você não estava mais aqui quando ele nasceu."

"Eu dou uma checada neles", Robert responde, quase envergonhado. "Em você também."

Olho para Tobias.

"Sim", ele diz.

Abro os olhos e em seguida fecho de novo. O ombro de Audrey está tocando o de Conrad. Nenhum dos dois se mexe.

"Só fazem isso com as pessoas que vocês amam?"

"Claro", Audrey responde. "Mas com o tempo... vamos fazendo isso com menos frequência. É preciso seguir em frente, mesmo lá."

Ela fica me olhando, mas olho para o outro lado. "Você gostaria de ainda estar por aqui?", pergunto. "Teria essa vontade?"

Audrey olha para Conrad. "Essa é uma pergunta difícil", ela diz. "Eu estaria bem velha."

"Você gostaria de ter tido mais tempo?", insisto.

"Eu poderia ter feito mais trabalhos com a Unicef", ela responde. "Adorei os anos em que colaborei com eles. Queria ter feito mais. E tinha meus filhos, claro."

Está na cara que ela não respondeu à minha pergunta, e percebo que Audrey também sabe disso.

"Nós não sentimos falta, se é isso o que você quer saber", ela diz. "A vida é muito difícil. Isto não é."

"Ela tem razão", Robert concorda. "É como um domingo de sossego, na verdade."

Se eu soubesse, se tivesse me preparado com antecedência, se Tobias não estivesse ao meu lado por um tempo tão curto, eu faria mais perguntas. Ia querer saber o que acontece quando morremos, se atravessamos um túnel, se aparece uma luz. Ia querer saber se é possível conviver com outras pessoas, se podemos reencontrar quem perdemos — e que história é essa de reencarnação —, mas não dá para fazer muita coisa em um único jantar, e as minhas prioridades aqui já estão definidas.

"Fascinante", diz Conrad. Ele dá um tapinha no braço dela, e ela fica vermelha.

"Você vai ver", ela murmura, em sua famosíssima voz sussurrada que a tornou tão conhecida. O silêncio se instala na mesa. Até Tobias está olhando para ela como se estivesse chapado.

"E você?", Conrad pergunta para Tobias. "Você falou que seu caso foi diferente."

"Fui eu que falei, na verdade", Audrey diz.

"Mas é verdade?", Conrad pergunta.

"Sim", diz Tobias. "É verdade."

"Por quê?"

Tobias olha para mim. "Acho que ainda estou entre um lugar e outro", ele diz. "Espero que este jantar possa resolver isso em parte."

"Isso é comum?", Conrad quer saber.

"Não sei", responde Tobias. "Acho que não."

Mais uma vez sinto aquela fagulha de esperança. Ele não se foi. Ainda não. Na verdade, o que ele disse faz com que eu me sinta mais próxima do que nunca de trazê-lo de volta.

Ao meu lado, Jessica não diz nada. Está olhando para seu chá, e percebo que está chorando.

"Jess", eu digo. "O que foi?"

"Você acha que ela olha por Douglas?", Jessica me pergunta. "Ela não..." A frase fica pela metade, e eu me lembro, claro, de sua mãe. Do câncer que a levou. De sua ausência. Na formatura. No casamento. No nascimento do bebê. O que Jessica não daria para jantar mais uma vez com ela? Para ter uma noite em que pudesse falar sobre tudo o que aconteceu, e o quanto foi injusto? Para desfrutar de sua presença e tocá-la, olhá-la e lamentar sua partida?

"Sim", eu respondo. "Com certeza."

Essa compreensão — de que este jantar, o que quer que ele não seja, é um golpe de sorte, do destino, do acaso — faz com que eu me volte para Robert.

"Eu tentei encontrar você", conto a ele. Ele se vira de Audrey para mim mais depressa que uma gota d'água caindo. "Descobri que você estava na Califórnia. Cheguei a ir até sua casa, mas não tive coragem de bater na porta."

"Quando?", Robert pergunta.

"Eu devia ter uns dezesseis anos. Peguei o carro da minha mãe, e ela me ligou quando eu estava sentada perto da sua garagem. Não lembro para falar do quê. Para perguntar quando chegaria em casa ou o que ia querer jantar. Mas, assim que desliguei, dei meia-volta e fui embora."

Robert abaixa a cabeça e assente. "Eu entendo."

"Parecia uma traição", digo. "Sinto muito, eu queria ter entrado."

"Uma traição à sua mãe?", Conrad pergunta.

Eu concordo com a cabeça.

"Ela ia querer que você fizesse isso", Audrey diz. Ela se inclina para a frente e se apoia sobre os cotovelos — uma coisa que não tinha feito a noite inteira. "Ela podia não saber disso na hora, mas ia entender. Essas mesquinharias..."

"Não é mesquinharia", Jessica diz, um pouco na defensiva. "Ele abandonou as duas. A mãe da Sabrina criou a filha sozinha."

"Nos contaram que ela o colocou para fora de casa", Conrad argumenta.

"Ela não tinha escolha", Jessica rebate.

Sinto uma pontada intensa de amor por Jessica, e me lembro do quanto ela gosta da minha mãe. Sempre que minha mãe mandava alguma coisa para o nosso apartamento, era sempre para "as meninas". E quando vinha à cidade nós três saíamos juntas para jantar. Ela ainda compra presentes de aniversário para Jessica todo ano. Sabia que Jessica tinha perdido a mãe e tentava participar da vida dela, ainda que de forma discreta, sempre que podia.

"Claro", Audrey diz, ainda inclinada para a frente. "Uma coisa não exclui a outra. Ele foi embora, é verdade. E ainda assim está aqui. A mãe de Sabrina ia querer que ela o perdoasse."

"Ah", Robert diz. "Eu não..."

"Sabe, sim", interrompe Audrey. "É por isso que você está aqui."

Olho para Conrad, que também está me olhando. "Ela está certa?", ele pergunta.

Penso no meu pai e em Tobias ao meu lado. Penso sobre os homens na minha vida, que não me deram o que eu precisava deles. Mas eu falei para Tobias que não ficaria com ele. Isso não me tornava responsável também?

Olho para Audrey. Vejo nela uma força que eu nunca tinha visto antes — nem hoje, nem em todos os anos em que assisti a seus filmes. Suas feições, sua voz e seu corpo eram sempre tão miúdos, delicados e complexos que a simplicidade do poder nunca pareceu relevante. Mas agora eu a vejo sentada aqui em toda sua glória, majestosa, e percebo que ela é imensa e corajosa — ela toma conta do ambiente.

"Claro que está certa", respondo, ainda olhando para Audrey.

"O perdão", Conrad diz, como se fosse uma pedra que estivesse virando nas mãos. "Vale mais para quem dá do que para quem recebe."

"Primeiro preciso te contar uma coisa", Robert avisa. "Que pode fazer você mudar de ideia."

"Vá em frente", Conrad incentiva. "O tempo está passando."

"Sabe a história que eu contei? Sobre a gravidez que sua mãe perdeu?"

"Sim?"

"O aborto não foi por causas naturais. Foi por causa de um acidente de carro."

"Ah, nossa", Conrad comenta. "Coitada."

Jessica se mexe nervosamente ao meu lado. Não preciso nem ouvir para saber o que vem a seguir.

"Eu estava dirigindo", Robert diz. Ele me olha com uma expressão cheia de dor. Por um tempo, penso em todas as promessas que ouvimos sobre o além — de uma existência sem sofrimento.

"E estava bêbado. Tínhamos ido jantar em New Hope, e estávamos voltando para casa. Eu exagerei no vinho. Sua mãe pediu para dirigir, mas falei que eu estava bem — ela estava grávida, né? Não queria que ela fizesse esforço." Robert leva a mão fechada à frente da boca. "O nome dela seria Isabella."

"Que nome lindo", diz Audrey.

Robert dá um sorriso triste.

"Foi culpa minha", Robert continua. "Eu não espero seu perdão. Não mereço."

Penso na mãe de Jessica, na esposa de Conrad. Na estranha oportunidade que recebi.

"Merece, sim", respondo. Minhas mãos estão tremendo no meu colo. "Nós dois merecemos."

Dezoito

"Tobias te pediu em *casamento*?!" Eu estava falando ao telefone com Jessica, no trem de volta à cidade. Tobias ia ficar em Montauk por mais cinco dias para terminar as fotos. Ela deu um berro quando contei, e me pediu para repetir três vezes. "Me conta tudo."

Estava tentando pensar na última vez em que Jessica tinha visto Tobias. Eu não sabia. Talvez no inverno, no fim do ano? Ela e Sumir tinham dado uma festa na casa recém-reformada, e nós fomos. Ela nos mostrou tudo, explicou por que precisaram fazer as obras, e outros amigos deles, Grace, Steve e Jill, vinham logo atrás da gente. Eu não fazia ideia de quem eram aquelas pessoas, nem de onde ela as conhecia. Do supermercado? Onde é possível fazer amigos em Connecticut antes de se ter filhos?

"E aqui", Jessica falou, "vai ser o escritório do Sumir. Quando eu tirar essas roupas daqui". Estávamos em um pequeno cômodo logo depois da suíte principal. Tinha só uma janelinha e um ventilador de teto.

"Um escritório, é?", Jill perguntou com uma risadinha. Jessica pôs as mãos na cintura e balançou a cabeça de um jeito que combinava mais com meninas de sororidade ou uma esposa de uma sitcom dos anos cinquenta. *Um bebê*, pensei na época.

E a outra amiga — acho que era Grace — perguntou sobre nós. "Vocês são casados?"

"Não", Jessica respondeu por mim, um bocado inflamada. "Eles são contra casamento."

"Somos?", Tobias perguntou. Ele pôs a mão no meu ombro e me puxou para junto de si.

"Na verdade, somos contra o divórcio", falei.

"Isso!", Tobias exclamou. "É esse que somos contra."

Jessica revirou os olhos. "Vocês são duas crianças", ela retrucou. Naquele dia não entendi se ela estava falando sério; na conversa ao telefone, pude perceber que ela estava feliz com a notícia, mas não só — também estava aliviada. Eu finalmente estava fazendo o que ela queria. Talvez, quem sabe, nós poderíamos acabar do mesmo lado.

"A gente estava na praia", contei. "Fazendo uma caminhada de manhã. Bem cedo, tipo sete da manhã. Ele ajoelhou e me pediu em casamento."

Um homem de boné ao meu lado tirou um dos fones de ouvido e me olhou feio antes de colocá-lo de volta. Eu baixei a voz.

"O que ele *disse*?", insistiu Jessica. "Você precisa ser um pouco mais específica."

"Ele disse que me ama e perguntou se eu queria casar com ele", respondi. "Foi bem simples."

"Ai meu deus", Jessica falou mais de uma vez. "Você aceitou?"

Vinda de qualquer outra pessoa, seria uma pergunta retórica — uma piada, quase. Mas, no caso de Jessica, eu sabia que não era, pelo menos não exatamente. Fiquei quieta um instante. Senti uma pontada de raiva no estômago. Era como se ela estivesse me questionando. *Tem certeza de que quer entrar nessa?*, ou *Você finalmente está admitindo que é uma pessoa normal, como todo mundo?*

“Claro que eu aceitei”, respondi, tentando controlar o tom de voz.

Silêncio do outro lado da linha. E depois: “Fico feliz por você. Quando podemos começar os preparativos?”.

Tobias e eu não tínhamos conversado sobre a cerimônia. Passamos o fim de semana na cama, conversando sobre para onde queríamos viajar e coisas que queríamos ter no apartamento — um aparelho de porcelana, uma cortina no quarto. Não deliberamos se seria no verão ou no inverno, em uma igreja ou ao ar livre. Nem passou pela minha cabeça tocar no assunto.

“Sei lá”, respondi. “Ainda é muito recente.”

“Tudo bem, mas então me manda uma foto da aliança agora.”

Segundo golpe. Não tinha aliança. O pedido de Tobias tinha sido espontâneo. “Mas é claro que eu já vinha pensando a respeito”, ele disse. “Quero passar a vida toda ao seu lado, e você sabe disso. Não é só um impulso.” Mas, mesmo assim, ele não tinha comprado a aliança. Nem tinha dinheiro para isso, aliás.

“Nós ainda precisamos escolher uma”, menti. Não era a primeira vez que eu mentia para Jessica. Mas talvez tenha sido a primeira vez que menti sobre Tobias — e isso me pareceu mais grave. Era uma mentira sobre o nosso futuro, o meu e de Tobias. Com essa mentira — sobre um casamento que na verdade eu desejava muito —, parecia que eu nunca mais ia conseguir parar de fazer isso. Que nosso futuro seria baseado em meias-verdades e omissões. Toda a euforia do fim de semana começou a pesar no meu estômago e se transformou em medo. E começou a se revirar lá dentro como se fossem ostras estragadas.

Cheguei em casa e encontrei um bilhete do zelador na

porta. Alguém passaria lá para verificar o encanamento às três da tarde no dia seguinte — eu poderia estar lá?

Larguei minha bolsa de viagem ao lado da porta e desabei na poltrona — a que tínhamos levado conosco do apartamento do Chelsea. Pensei em ligar para minha mãe, mas ela ia querer detalhes, assim como Jessica, e eu não saberia o que responder. A bolha de felicidade que senti na praia com Tobias tinha sido estourada pela conversa com Jessica — eu não queria reviver isso.

Liguei para Tobias.

"Oi", ele falou. "Está tudo bem? Não posso falar agora."

Dava para ouvir o barulho da produção ao redor dele. "Claro", respondi. "Sim, claro."

"Sabby, o que foi?"

"Você acha que tudo bem a gente não ter conversado sobre o casamento nenhuma vez no fim de semana?"

Ele ficou em silêncio. Eu conseguia ouvir sua respiração — o ar entrando e saindo, entrando e saindo. "Está falando sério?"

"Não", respondi. "Quer dizer... Talvez."

"Olha, preciso desligar." Ele parecia irritado. Não, ele parecia decepcionado. Como se eu tivesse mostrado que era como todas as outras — dando risadinhas, pensando em véus, buquês fitas cor-de-rosa. Isso também fez meu estômago se revirar.

"Tudo bem, desculpa, divirta-se aí."

"Está tudo bem entre a gente?", ele perguntou.

"Tudo ótimo", respondi.

Ele desligou.

Minha inquietação com a conversa com Jessica se transformou em raiva. Por mais que eu tentasse fingir, quase sempre sem sucesso, que a desaprovação de Jessica não me incomodava, ela incomodava sim. Queria que ela me entendesse como quando éramos mais novas. Queria que ela tirasse sarro de pessoas como Grace e Jill, não que fosse como elas. Queria que ela revirasse os olhos quando alguém sugerisse que o escritório de Sumir poderia ser o quarto do bebê — um bebê, sério? A gente não costumava ter um calafrio só de pensar na ideia? Não costumávamos dar risada e dizer que jamais abriríamos mão das bebedeiras e noites de sono? Nós éramos assim, não?

Era como se todas as coisas em que ela acreditava, as verdades profundas que atribuía ao universo, não passassem de caprichos juvenis, sonhos bobos, e que agora ela era madura demais para isso. E a coisa mais doida era que não tínhamos nem chegado aos trinta. Um bebê antes dos trinta anos era motivo de preocupação, não de celebração. Ninguém se casa aos vinte e cinco. Foi ela que escolheu um caminho diferente e precisou se mudar de estado para encontrar gente que entendesse suas escolhas de vida. Não era culpa minha; era dela.

Comecei a ficar com mais raiva na poltrona do nosso apartamento minúsculo. Ela julgava a minha vida tão severamente o tempo todo. Eu estava noiva, e não estava bom o suficiente. *Eu* não era boa o suficiente.

Liguei para ela na hora. Minha vontade era dizer aos berros que não ia mais aceitar isso. Que eu não sabia mais o que eu tinha feito de errado, e que estava de saco cheio daquela amizade fingida. Que ela não era a pessoa que eu tinha escolhido amar. Que se ela achava que eu não ia me tornar adulta como ela — que eu não... o quê? Me mudaria para o subúrbio, seria sua vizinha e teria um bebê? Eu estava triste e furiosa por ela ter se mudado, por ter aberto mão de quem éramos tão prontamente, com tanta facilidade e alegria — mas a ligação caiu na caixa postal. *Oi, aqui é Jessica Bedi. Por favor, deixe sua mensagem que eu ligo de volta assim que puder. Obrigada! Tchau!*

Eu desliguei. Jessica tinha mudado até de nome. Antes era Jessica Kirk; agora era Jessica Bedi. Fiquei julgando suas escolhas até me sentir mais forte, melhor. Ela só queria falar de bebês e almofadas, e se o tom da tinta que tinha escolhido para a sala de jantar (ela tinha uma sala de jantar!) era azul demais. Ela ainda nem estava grávida. Disse a mim mesma que ela tinha se vendido e sentia inveja por eu ainda estar em Manhattan. Ignorei o fato de que virar uma nova-iorquina nunca foi o sonho de Jessica. Ela sempre quis ficar com Sumir, assim como eu sempre quis Tobias. De quem era a culpa se nossas realidades tinham se tornado incompatíveis?

Lembro que Jessica me ligou de volta uma hora depois. Eu atendi. Ela parecia cansada, como se tivesse acabado de acordar. "Desculpa, eu perdi sua ligação. O que foi?"

"Nada", respondi. "Liguei para o seu número sem querer."

22h35

"Você não disse quase nada", Jessica fala para Tobias. Sinto que a ansiedade dela só cresce. Desde que cheguei, na verdade, mas principalmente depois da confissão de Robert, e de seu choro pela mãe. A mesa ficou mais ou menos em silêncio nos últimos minutos, na expectativa pelas sobremesas, que ainda não chegaram.

"Não?"

Jessica balança a cabeça. "Não, não disse. Você só reage ao que os outros falam. Ainda não sei o que você realmente pensa sobre a gente."

Conrad ergue uma sobrancelha para mim. "Você é uma pessoa exigente, Jessica", diz.

"Para dizer o mínimo", Tobias responde, mas com um sorriso.

"Bem", Audrey diz. "Talvez ela esteja certa. Tobias, o que você acha de tudo isso?"

"É estranho."

"Óbvio", Jessica diz, impaciente.

"Estou triste", ele continua. "Triste porque Sabby sofreu e eu não pude fazer ou não fiz nada a respeito. Porque eu morri. Isso não foi legal."

Ele olha para mim, e vejo sua sobrancelha direita levantada, como se estivesse me pedindo um sorriso. Eu ofereço um para ele.

"Você é o grande amor da minha vida", ele diz, levando a mão ao meu rosto. Sentir seus dedos me dá uma sensação de alívio.

"Não foi isso que eu quis dizer", Jessica protesta.

"Jess, para", eu digo.

"Não vou parar, não. Ele está morto, esqueceu?"

Sinto um calafrio. "Sim", respondo. Sinto frio e puxo um pouco minha blusa. "É isso que estou tentando consertar."

"Eu também queria que Tobias estivesse vivo, tanto quanto qualquer um", Jessica insiste, gesticulando para Conrad.

"Obrigado", Tobias responde. "Acho?"

"Mas", ela continua, com a mão levantada. "Acho um desserviço fingir que tudo era sempre perfeito entre vocês. Não era. Teve um monte de coisas com que vocês não souberam lidar. E você sabia. Foi por isso que não quis ir para Los Angeles com ele."

"Isso não é verdade", respondo. "Eu tinha um emprego, lembra? Uma vida..."

"Ah, qual é! Não foi porque você tinha medo de que ele te traísse, ou porque você foi abandonada pelo seu pai, ou por qualquer outra desculpa esfarrapada que você deu. Você não sabia se ele era o cara certo."

Tobias se vira para mim, mas Jessica continua falando. "Sinto muito, Sabby, mas, se é para fazer isso, tem que ser do jeito certo. Não existe só o seu lado da história."

"Isso não é verdade", repito.

"É, sim", Jessica insiste. "Você sabia que ele era um artista. Você se preocupava com estabilidade financeira. Você via que ele priorizava a fotografia acima de todo o resto. Admite."

"Para", Tobias diz. Ele joga as mãos para cima. É a reação mais exaltada da parte dele que vejo a noite toda. "Sabby sabia o que ela significava para mim."

"Sabia?", Jessica pergunta. "Porque aqui, dez anos depois, eu ainda não tenho certeza." Ela se vira para mim. "Você queria o que todo mundo quer. Queria se casar. Queria saber que teria como pagar o aluguel. Queria alguém que estivesse presente. Isso não era um crime. Ainda não é."

Olho para Tobias. Começo a me sentir envergonhada — exposta. Como se fosse uma conversa que deveria acontecer em particular. Não na frente de Robert, de Conrad e da Audrey Hepburn.

"Isso é verdade?", Tobias pergunta.

"Às vezes", digo, porque só consigo responder isso, com um sussurro quase inaudível. "Eu não tinha certeza se a gente ia durar."

Tobias parece arrasado. Sinto vontade de chorar.

"Preciso que você saiba que você sempre foi mais que o bastante para mim", ele diz. Ele engole em seco. "Agora. Hoje."

"Não precisa ser agora", respondo. "Eu..."

"Sério que você está delirante assim?", Jessica pergunta. Ela levanta a voz a ponto de estar quase gritando. Algumas pessoas que ainda estão no restaurante olham para nós. "Ele não vai voltar! Não tem como consertar, e você sabe disso, e eu não posso ficar aqui e deixar você se iludir desse jeito. Assuma a responsabilidade ou não. Mas quando a noite acabar você vai estar sozinha de novo."

Suas palavras me atingem como um soco no estômago. Sinto o ar ser expulso dos meus pulmões.

"Jessica", Tobias interrompe. "Acho que já chega."

Jessica dá uma encarada em Tobias. Juro que parece que ela vai pular por cima de mim para esmurrá-lo.

"Me desculpa", Tobias continua. "Eu nunca me desculpei com você. Depois que voltei de LA. Sei que não foi fácil ter que juntar os cacos."

"É uma história tão conveniente", diz Jessica, com um tom de voz amargo. "O jovem artista triste que precisa ir embora e se descobrir, e a mulher que chora toda noite de saudade dele. Vocês não eram personagens de um romance. Eram seres humanos. E, porra, nenhum dos dois admite isso."

"Você é artista? Pensei que fosse fotógrafo", Conrad comenta, interrompendo a discussão tensa.

"É uma categoria!", Jessica esbraveja. Está ficando cada vez mais furiosa.

Tobias leva a mão à testa e a deixa lá. "Não sei o que você quer que a gente diga."

"Alguma coisa!", Jessica retruca. "Qualquer coisa. Vocês ouviram o que Robert falou." Ela aponta para ele com o queixo. "Nós só temos esta noite. Você quer ficar remoendo cada detalhe ou tentar ajudar Sabby a seguir em frente?"

"Não", eu digo. "Não me ajude a seguir em frente." Ela está nos desviando do objetivo. Preciso corrigir a rota.

Nesse momento nossa sobremesa chega. O garçom aparece com a bandeja e começa a servir os pratos. Suflês e sorvete, e um sorbet de cortesia. Ele pergunta se queremos mais alguma coisa e, como ninguém responde, Audrey o dispensa educadamente.

Minhas palavras ainda estão no ar. Sinto a tensão de Jessica ao meu lado. Todos os olhares estão voltados para Tobias.

Ele se aproxima de mim, e acho que ele vai segurar minha mão de novo — *quero* que segure minha mão de novo —, mas em vez disso me dá um beijo. Ele segura a lateral do meu rosto, bem perto da minha orelha, e cola seus lábios aos meus. Estão frios — como se ele tivesse acabado de beber água gelada. Mas logo a sensação dá lugar a um arrebatamento tão intenso que parece um colapso. É como se eu estivesse sendo sugada através de um vórtice para um lugar que é *ele*. Ele não *está* lá; ele *é*. E então somos só nós. Sozinhos em algum lugar suspenso no nada. E é aí que percebo que o colapso não se dá no espaço, e sim no tempo. Aqui, agora, ele ainda está vivo; ainda estamos juntos. Não existe separação. Não existe antes ou depois. Só nós na praia em Santa Monica, nós no nosso apartamento, nós jogando Scrabble com Matty, cozinhando com Jessica. Memórias acumuladas uma sobre a outra, e o momento se expande tanto que abarca todas elas.

Dezenove

Um mês depois compramos a aliança. Era uma tarde de domingo no fim de setembro, e estávamos na parte norte de Manhattan. Um dia tranquilo. O tempo ainda estava agradável, e os moradores do Upper East Side aproveitaram para curtir o fim de semana quente fora da cidade. Era como se tivéssemos a Park Avenue só para nós — como se isso fosse algo desejável. Tínhamos acabado de sair do Guggenheim. Fomos a uma retrospectiva de Edward Hopper que Tobias queria ver, e depois resolvemos fazer uma caminhada. Podíamos almoçar no Serafina ou comprar bagels na Murray's, mas por ora estávamos só andando. Era uma tarde ensolarada e sem nuvens, mas o sol não estava forte a ponto de queimar a pele. Ainda havia movimento na rua, e estávamos de boné. Éramos invencíveis.

Nossas mãos estavam entrelaçadas e me lembro de olhar para elas. Pele nua. Nem metal, nem ao menos plástico. Não tínhamos tocado no assunto do casamento no mês anterior. Na verdade, com exceção de alguns amigos e familiares mais próximos — Kendra no trabalho, minha mãe, que por milagre não perguntou nada; eu desconfiava que Jessica tinha falado com ela antes —, nós não falamos nada sobre o noivado. Eu estava começando a ficar com a sensação de que o pedido nunca havia acontecido.

"Acho que precisamos de uma aliança", falei. Tobias estava olhando para um buldogue francês que havia fugido do dono. Nem sei se estava me ouvindo.

"Tobias", eu o chamei. Ele se virou para mim. "Nós estamos noivos. Precisamos comprar uma aliança."

Não sabia como ele reagiria. Tinha ficado tão irritado ao telefone quando toquei no assunto semanas antes que eu não quis voltar a essa questão. Mas estava começando a sentir que, se eu não falasse, nada aconteceria, e esqueceríamos e o noivado ficaria para trás.

"Beleza", ele respondeu. "Qual você quer?"

Puxei a mão dele, ainda entrelaçada à minha, atrás de mim. Me aninhei junto a ele e o beijei no rosto. "Sei lá. Só quero ter uma."

Eu não tinha pensado muito a respeito. Não era do tipo que sonhava em ter um anel com um diamante enorme. Mesmo se tivéssemos dinheiro para isso, o que não era o caso, não era o que eu queria. Pensei em uma pedra colorida, talvez — uma ametista ou um rubi. Alguma coisa com cores vivas e aspecto antigo.

"Vem cá", Tobias falou, me puxando. "Conheço um lugar onde a gente pode dar uma olhada."

Pegamos a rua 71 e depois entramos à esquerda. Entre a Primeira e a Segunda Avenidas, havia uma lojinha de antiguidades. Tobias nunca tinha me levado lá, mas já tinha comentado que era um lugar aonde ele ia às vezes. Ele vendeu uma mala de couro antiga lá quando o reencontrei em Nova York — quando precisou de um dinheiro rápido. Acho que ainda precisava; eu só não sabia se ele ainda penhorava coisas.

Para entrar na loja era preciso descer um lance de escadas de um prédio antigo num quarteirão despretensioso. A proprietária, uma mulher chamada Ingrid que parecia estar na casa dos setenta, nos deixou entrar quando tocamos a campainha. Ela deu dois beijos no rosto de Tobias — um de cada lado. Parecia feliz em vê-lo, mas não surpresa.

"Bonitão", ela falou, segurando-o com os braços estendidos. "Com um quê diabólico."

Tobias sorriu. "Ingrid, esta é Sabrina. Sabrina, Ingrid." Ele se inclinou mais para perto dela como se fosse revelar um segredo. "Sabrina é minha noiva."

Ingrid arregalou os olhos e juntou as mãos, se virando para mim. Eu estava um pouco afastada, deixando os dois à vontade para conversar, mas Ingrid estendeu a mão para mim, e dei um passo à frente.

"Você", ela me disse, dando um tapinha na minha mão, "é uma mulher especial".

Eu balancei a cabeça. Senti a mão de Tobias na minha cintura. "É mesmo", ele falou. "Eu sou um cara de sorte." Ele enfiou o polegar por baixo da minha blusa. "E agora precisamos de uma aliança."

Nesse dia, conversamos mais sobre nosso noivado do que em qualquer outro desde que ele fez o pedido. Eu me sentia atordoada, emocionada. Como se tudo o que precisava estivesse naquela lojinha na rua 71. Inclusive Ingrid.

"Vamos dar uma olhada", ela falou, me pegando pela mão e colocando os óculos, que estavam pendurados no pescoço. Quanto mais eu me aproximava, mais sentia seu perfume — a fragrância de baunilha mais atordoante e doce que já senti na vida.

Ingrid olhou para a minha mão. "Linda", disse. "Proporções muito delicadas." Pegou um dos meus dedos e o balançou, como se o estivesse testando, ou em busca de uma peça perdida. "Venha comigo."

Não havia outros clientes na loja, e Ingrid nos levou a um segundo cômodo onde havia araras com casacos — a maioria de pele, já bem ressecados. Pigarreei para segurar a vontade de tossir.

"Aqui estamos." Ela ficou atrás de um balcão de vidro, tirou algumas chaves do bolso e o abriu. Enfiou a mão lá dentro e tirou uma bandeja revestida de veludo que tinha algumas fileiras de alianças. "Escolha uma", ela disse.

À primeira vista, pareciam todas antigas — vitorianas, talvez —, mas quando olhei mais de perto comecei a ver que eram de diversos períodos e estilos. Havia diamantes, mas eram pequenos. Havia também um anel composto de vários aros. Um pavê, uma safira, e um com pequenos fios de ouro branco e amarelo.

"São lindas", comentei.

"Muitos casamentos felizes", Ingrid me falou. "Tento descobrir se o casamento é feliz. Se for? Eu compro. Nada de divórcios."

Não parei para pensar que isso era impossível — se as pessoas eram felizes, por que estavam se desfazendo das alianças? Todo mundo tinha morrido? E, se fosse o caso, como saber se eram mesmo felizes?

Tobias riu. Estava com a mão no meu ombro, começando a me acariciar de leve. De repente desejei que tudo aquilo estivesse sendo gravado — que eu pudesse reviver aquele momento à noite, no ano seguinte, dali a uma década.

"E aquela ali?" Apontei para um anel com três pequenas esmeraldas em ouro amarelo.

"Não, não", falou Ingrid, balançando a cabeça. "Você precisa de uma coisa mais tradicional."

"Ah", falei. "Na verdade, eu não sou..." Olhei para Tobias. "Não sou tão tradicional assim."

"Não?", ela perguntou, me observando por um momento. "Aqui. Experimente este."

Ingrid me entregou uma aliança de ouro branco com um pequeno diamante solitário cercado de ametistas amarelas. Até hoje, é uma das coisas mais lindas que já vi. Não consegui acreditar que não tinha reparado nela logo de cara.

"É maravilhosa", falei. "Mas acho meio exagerada." O que eu quis dizer é que era cara demais. Devia custar o aluguel de um ano inteiro.

"Experimenta mesmo assim", ela disse.

Não parecia aconselhável desobedecer a Ingrid, então fiz o que ela falou. Coloquei a aliança no dedo. Ela brilhou na minha mão, imponente. Mexi os dedos de leve na luz, para ver como reluzia.

"Posso ver?", Tobias pediu.

Eu me virei e mostrei a mão como se estivesse em um clipe de rap. "Ostentação, né?" Era ridículo, eu sabia. Mesmo assim foi divertido.

"Isso é sério", ele falou.

"Eu sei."

"Quanto custa?", ele perguntou para Ingrid.

"Normalmente, cinco mil", ela falou. "Para você, três."

Era o triplo do que conseguiríamos pagar. Eu a tirei do dedo imediatamente.

"É cara demais", falei. "Mas é linda. Você não tem outras coisas?"

"Claro, claro", Ingrid disse. "Mas nenhuma como essa. Eu a chamo de Rose."

Tobias ficou em silêncio atrás de mim. Procurei a mão dele. "Ei", falei, puxando-o para perto. "De qual você gostou?"

"Gostei daquela", ele disse. Parecia determinado. "Aquela que você experimentou. Vamos comprar."

"Tobias", eu falei. Cheguei mais perto dele e falei baixo, tentando criar a ilusão de privacidade. "É cara demais, qual é."

"Não é o homem que deve comprar a aliança?", ele disse. Mas não era uma pergunta. Não era uma brincadeira. Ele disse num tom agressivo.

"Sim, mas, amor, não precisa ser essa. Vamos escolher outra, ok?"

Passei o olho pelas alianças. Encontrei uma que era uma gracinha, com pedrinhas de diamantes e ametistas incrustados no ouro formando um padrão intricado. "Quanto custa essa?", perguntei a Ingrid.

"Setecentos", ela falou. "É uma graça."

Coloquei no dedo. Serviu perfeitamente. "O que você acha?", perguntei para Tobias.

Ele mal olhou. "É legal."

"Tobias", eu falei. "Legal não é suficiente. Quer continuar procurando?"

Ele balançou a cabeça. "Desculpa, é bem legal." Ele segurou minha mão com cuidado. "Ficou ótima em você." Ele abriu um sorriso que eu sabia que teve que se esforçar para dar.

"Eu adorei", falei. Era verdade. Não era igual à outra, mas ficou bem na minha mão. E eu não queria tirar mais de lá.

"Vamos levar", Tobias anunciou.

Eu me aninhei junto a ele, que me abraçou. Estávamos tentando, naquele momento. Eu queria voltar àquele espírito leve em que estávamos quando chegamos.

"É uma ótima escolha", Ingrid falou. "Ficou linda em você." Ela não parecia incomodada com o fato de termos escolhido uma aliança cinco vezes mais barata, e eu senti uma onda de afeto por ela.

Seguimos Ingrid pelo meio das araras até a área principal da loja. Ela se foi para trás da registradora, e vi Tobias sacar a carteira. Setecentos dólares ainda era muito dinheiro, um dinheiro que não tínhamos, mas alguma coisa me impediu de me oferecer para ajudar a pagar. Tobias sacou o cartão de crédito.

Nos despedimos de Ingrid com um abraço e subimos a escada de volta para a rua. Estava bem mais frio do que quando entramos. "Adorei", eu falei. Olhei para minha mão — a aliança brilhava sob os últimos raios de sol do verão. "E amo você."

Ele me puxou para junto de si. "Tem certeza de que está feliz?", perguntou.

Queria que completasse *com a aliança*, mas ele não disse.

"Claro", respondi. "Muito feliz. Vou casar com você."

"Sim", ele disse, assentindo algumas vezes com a cabeça.

Estendi os braços e segurei seu rosto entre as mãos. "É só disso que eu preciso", falei. "Nunca vou precisar de mais nada."

Ele me abraçou tão forte que eu mal consegui respirar. Ficamos agarrados um ao outro naquele fim de tarde como se pressentíssemos o que estava prestes a acontecer.

22h42

Quando os lábios de Tobias enfim se afastam dos meus, demoro um instante para me lembrar de onde estou. Do jantar. Da lista. Levo os dedos à boca e pisco algumas vezes ao me virar de volta para a mesa. Audrey e Conrad estão olhando para nós. Robert está ocupado com seu suflê, e Jessica está de braços cruzados.

"Com certeza isso resolveu tudo", ela diz, seca.

"Sinto falta de ser beijada assim", Audrey diz. Sua voz é grave e sussurrada, e ela tem um sobressalto e se vira para Conrad. Imagino que as pernas deles tenham roçado por baixo da mesa.

Tobias está me olhando como quem tenta analisar minha reação, mas só consigo pensar que quero saber como ele está se sentindo, o que está pensando. Quero segurar sua mão, sair correndo daqui e levá-lo para casa.

"Desculpa", Tobias diz. "A minha intenção não era..." Ele olha para Jessica. "Você queria mesmo que a gente se casasse?"

"Claro", ela responde, mas suas palavras não soam convincentes. "Queria que vocês fossem felizes. A questão aqui não sou eu."

"Meio que é, sim", Tobias responde. "Você não para de falar, e está aqui."

"É, mas não estou beijando ninguém. Além disso, estou viva." Um sorriso se insinua em seu rosto, e Tobias percebe.

"Jess", ele diz. "Conrad está vivíssimo, como você e Sabrina."

Jessica revira os olhos, mas o sorriso continua lá.

"A gente se divertia juntos", ele continua. Ele vira a cadeira para ficar de frente para mim enquanto fala com ela. "Lembra daquela noite que rabiscamos a Sabby com canetinha e passamos pasta de dente nos pés dela?"

"Ela mereceu", diz Jessica. "Foi por causa dela que perdemos *O Livro de Mórmon* na Broadway."

"Era meu aniversário", digo.

"Sim, de vinte e quatro anos. Você já devia saber beber com essa idade." Tobias me cutuca com o cotovelo, e Jessica dá risada.

"Você ficou *muito* puta", ela diz. "Passou o dia todo sem falar com a gente."

"Correção", respondo. "Passei o dia todo vomitando."

"Não importa", Tobias falou. "A gente era assim."

Jessica se recosta na cadeira e assente. "É. Era mesmo. Mas isso foi há muito tempo."

Sinto o ar ficar carregado ao meu redor. Como se eu fosse o espaço que separa os íons positivos dos negativos. No meio de uma densa concentração de sins e nãos se atraindo e se repelindo, se atraindo e se repelindo.

"Talvez você não devesse ter voltado comigo", diz Tobias. Ele está inclinado para a frente, com as mãos nos joelhos. "Depois de LA. Talvez você devesse ter seguido em frente, continuado com Paul, sei lá."

Penso em como teria sido rejeitá-lo quando tocou o interfone, não ter deixado ele subir e continuado com a minha vida. Mas isso nunca foi uma opção viável. Quando Tobias reapareceu, eu não tinha alternativa.

"Em nenhum momento pedi para você ficar", digo, não para ele, mas para a mesa inteira. "Eu não podia mudar para Los Angeles, mas nunca pedi para você ficar."

"Por que não?", Audrey pergunta.

"Eu era orgulhosa demais. Ou estava com medo. Que ele dissesse não. Ou que dissesse sim e depois se ressentisse de mim por isso."

"Isso teria acontecido, Tobias?" A voz de Audrey flutua como uma brisa. "Você teria ficado?"

Quero tanto que ele diga não que praticamente sinto o gosto da palavra, amadurecida na minha boca — como uma fruta pronta para ser colhida.

"Não sei", ele responde. "Ou melhor, não. Acho que a resposta é não. Ela não tinha que pedir; eu fui. Detestei precisar fazer isso, mas era necessário."

"E você voltou?", Audrey pergunta. "Por quê?"

"Porque eu não conseguia viver sem ela."

A mesa está em silêncio. Ninguém se move, nem para pegar uma taça de vinho.

Nunca questionei se Tobias era a pessoa certa para mim, mas e se todas as oportunidades perdidas, os conflitos e as desilusões não fossem a prova da grandiosidade da nossa relação, mas sim de sua precariedade? De sua fragilidade? Talvez Jessica tivesse razão — nós não tínhamos crescido, nem assumido nossas responsabilidades. Eu acreditava que o universo faria isso por nós de alguma forma. Acreditei nisso esta noite, sentada aqui. Mas e se essa tarefa tivesse sido nossa durante todo esse tempo? *O timing certo é tudo*, Jessica me disse quando ele foi embora. E hoje à noite nosso tempo está se esgotando.

Vinte

Um dia, no começo de outubro, Tobias chegou em casa e disse que queria trabalhar por conta própria. Tinha chegado a hora. A situação no emprego dele só piorava. Além de estar infeliz, ele sentia que tinha dado dez passos para trás em relação à trajetória que começou em LA.

Eu sabia que ele queria voltar a fotografar o que amava, e que era só questão de tempo até que tentasse arrumar outro emprego ou construir uma carreira solo. O fato de isso acontecer no momento em que ele estava duro, nós mal conseguíamos pagar o aluguel e tínhamos acabado de ficar noivos não pareceu ser uma preocupação para ele. Tobias entrou no apartamento emanando energia.

"Estou pensando nisso há um tempo", ele contou quando sentou ao meu lado no sofá. "Mas hoje me dei conta — por que esperar? Quero poder me concentrar no meu próprio trabalho."

"Uau", comentei. "Ok." Viver com uma pessoa que não gostava do seu emprego, sabendo que se ressentia disso, não era nada legal. Eu queria que ele fosse feliz e que finalmente seguisse a carreira que desejava. Mas também queria ter um teto para dormir, comida na mesa e uma festa de casamento. A conta não fechava. "Me diz o que você está pensando em fazer."

Dava para sentir a empolgação dele, e fui pegar uma bebida. Escolhi uma garrafa de champanhe cara que Matty tinha dado de presente quando nos mudamos e que estávamos guardando. Levei para a sala junto com duas taças. Se fôssemos ter aquela conversa, que fosse com álcool.

"Vou me demitir amanhã, eles vão contratar outra pessoa, e até lá acho que a Lane pode me cobrir." Lane era outra assistente de fotografia, que trabalhava meio período. Tobias gostava dela. "Depois, é começar pelo básico. Preciso fazer um site." Tobias gesticulava enquanto falava, como fazia quando estava muito animado. Abri a champanhe e servi para nós.

"Vou pedir pro Matty cuidar dessa parte de tecnologia, depois quero conversar com os clientes com quem trabalhei em Los Angeles. Sei que nem todo mundo vai topar, mas de repente um ou outro..."

Entreguei uma taça para ele. Seus olhos brilhavam. Isso era raro naqueles dias. A última vez que o vi assim foi na praia em Montauk. Se o que ele estava dizendo era verdade, se os trabalhos fossem aparecer, eu queria apoiá-lo. Talvez fosse esse nosso problema. A infelicidade dele no trabalho contaminou nossa vida pessoal. Se ele começasse a ser feliz profissionalmente, ficaria mais feliz com a gente.

"Um brinde", falei. "Acho uma ótima ideia."

"Sério?" Tobias pareceu encabulado, o que raramente acontecia. "Quer dizer, pode ser que eu precise que você cubra a minha parte do aluguel por um mês. Dois, no máximo. Mas depois vou ganhar muito mais do que agora e vou te reembolsar..."

Meu coração começou a acelerar, mas não deixei transparecer. Coloquei minha mão sobre a sua. "Amor", falei. "Tudo bem. Nós vamos dar um jeito." O que eu ganhava na Random

House mal dava para cobrir os gastos, mas eu tinha minhas economias. Meus pais compraram títulos quando eu nasci e venderam quando me formei na faculdade — na época tinha dado uns dez mil dólares e já havia rendido desde então. Eu usaria esse dinheiro. Valeria a pena, para vê-lo feliz.

"Eu te amo", ele disse. Me deu um beijo apaixonado. "E quero começar a combinar o casamento. Pode ser na primavera. Por que ficar esperando, né?"

Meu coração parecia que ia explodir. Inflou tanto que envolveu nós dois. Era como se batesse ao nosso redor.

"Na primavera", repeti. "Parece ótimo."

"Ou a gente podia casar escondido." Ele tirou a taça da minha mão e me puxou para o seu colo.

"Tipo em Las Vegas?", perguntei, pondo as mãos no seu rosto. Ele não fazia a barba há alguns dias, e seu queixo estava áspero. Pinicava minha pele enquanto eu o acariciava.

"Tipo no fórum", ele respondeu. Tobias se inclinou para me beijar e então me virou para me fazer montar em seu colo.

"Minha mãe ia surtar", respondi. Eu estava ofegante. Nós ainda transávamos com frequência, mas sem tanta intensidade, sem aquela sintonia que eu sentia antes de LA. Mas ela tinha voltado, pegando fogo no sofá.

"E ainda tem a Jessica", Tobias falou, beijando meu pescoço. "Ela mataria você."

"Ela mataria *você*", corrigi.

Nos olhamos e caímos na risada.

"Já mostrou a aliança para ela?", ele perguntou.

Mostrei. Nós tínhamos saído para jantar na semana anterior, e ela parecia contente. Só queria falar sobre o casamento — onde seria, o que eu usaria. Deixei o assunto rolar. Quanto mais usava aquela aliança, mais me apaixonava por ela. Não tirava nem para dormir. Adorava seu brilho dourado, o modo como refletia a luz do sol.

"Sim", eu falei. "Ela disse que não é muito tradicional. Você conhece a Jessica. Precisa falar de tudo como se fosse ideia dela."

"Até de mim?"

"Até de você", respondi, beijando-o no rosto. "Aprendi uma coisa ou outra com os setores de vendas e de marketing da editora", falei. "Você devia criar contas no Twitter e no Instagram com suas fotos, eu posso te ajudar a alavancar."

Ele jogou a cabeça para trás com desdém.

"É importante", eu insisti. "Você precisa criar uma presença."

"Uma presença."

"Uma presença."

"E como você acha que minha presença está agora?"

"Aceitável", respondi. Erguendo as sobrancelhas para ele, e com um movimento ele me ergueu e me jogou sobre seu ombro.

Tobias não era muito maior que eu — mais alto, talvez um pouco mais robusto, mas não muito, depois que virou vegetariano. Tinha perdido os músculos que ganhou na Califórnia. Sacudi em seu ombro enquanto ele ficava de pé e cambaleava até o quarto. Ele me segurou com força pelas pernas e me jogou na cama.

"Acho que vai ser uma coisa boa", ele disse. "Estou sentindo."

Eu estava, se não convicta, pelo menos aliviada. Havia algo em que se concentrar. Senti que finalmente tínhamos descoberto o que precisava ser resolvido, e como fazer isso.

22h48

Estamos terminando a sobremesa. Antes que o sorvete derreta.

"Nunca fui muito de doces", Audrey comenta. "Mas isto está delicioso."

Ela pega uma colherada do sorvete com praliné e oferece para Conrad, que abre a boca com vontade.

"Divino", ele diz, lambendo os lábios.

"O suflê está incrível", Robert comenta. "Eu já tentei fazer, mas nunca consegui fazer crescer direito."

"O segredo é não bater demais as claras", Audrey diz.

Tento imaginar Robert na cozinha, de avental, a esposa carinhosa picando legumes e duas garotinhas agarradas a suas pernas. Se fosse um amigo meu, eu ficaria contente por ele.

"Muito bom", Jessica diz, enchendo a boca com uma bela colherada do suflê.

Tobias beberica seu espresso, Ele se vira para mim. "Nunca me arrependi de ter voltado", ele diz. "Às vezes ficava chateado porque os trabalhos não estavam rolando da mesma forma que em LA. Mas não era culpa sua, e eu jamais deveria ter deixado você pensar que era."

"A gente ia se casar", respondo.

"Sim", ele diz. Isso é triste; ele está triste.

"Nunca tive certeza se era o que você queria de verdade", digo.

"Eu queria", ele falou. "Quando pedi você em casamento, estava sendo absolutamente sincero."

"E depois?"

Ele passa a mão no pescoço. "Não sei", responde. "Eu queria estar com você, só que queria mais um monte de outras coisas. Queria um monte de coisas para você também, acredite ou não."

"Acredito", digo.

"Então vocês não se casaram?", Robert pergunta. "Reparei que você não usa aliança."

Robert se ajeita na cadeira quando pergunta e faz um floreio com a mão, como se estivesse ajeitando uma gravata invisível.

"Não", Tobias responde. "A gente não se casou."

"Mas chegaram perto", Robert diz. Sua voz é triste. "Deve ter sido muito trágico. Tanta coisa deixada pela metade..."

Tobias abaixa a cabeça. "É, a data estava marcada", ele diz. "Mas o acidente..."

"A gente meio que não estava mais junto", explico. "Rolou uma briga feia, e a gente estava sem se falar fazia mais de um mês."

Escuto o garfo de Conrad cair no prato. "Vocês estavam sem se falar quando ele morreu?"

Sinto as lágrimas se acumularem nos olhos. Tenho medo de falar e não conseguir parar de chorar nunca mais.

"Tudo bem", diz Robert. "Ainda não são nem onze horas." Ele me olha, e a esperança em seu rosto, sua *fé*, me desarma de vez. De repente, sei o que quero perguntar para ele, a questão que está no cerne de tudo.

"*Você* ia querer mudar as coisas se pudesse?", pergunto a Robert.

Percebo que ele está refletindo. A mulher, as filhas. Os dias na cozinha, os joelhos esfolados das crianças, os trajetos até a escola. Os anos que viveu com elas.

"Sim", ele responde. A voz dele sai embargada. Chega a falhar um pouco. "Se eu pudesse me acertar com você... sim."

"Mesmo que isso mudasse tudo?"

Robert limpa a garganta. "A única coisa que a gente nunca consegue aceitar é perder um filho. Todo o resto... Pessoas ficam paraplégicas e encontram Deus. Perdem todo o dinheiro e dizem que isso trouxe paz interior, que descobriram o que realmente importa na vida. Já ouvi muita gente dizer que existem males que vêm para o bem. Mas ninguém fala isso sobre perder um filho.

Conrad faz um barulho do outro lado da mesa. "Bom", ele diz, mas é só.

Eu olho para Robert. Ele voltaria atrás, se pudesse. Deixaria tudo o que viveu depois. Mas isso não me deixa contente. É tudo o que eu sempre quis, desde pequena — que ele me colocasse em primeiro lugar, que se importasse, que voltasse. Mas, quando o ouço dizer isso agora, sei que não seria certo. Eu não era a única coisa que importava na vida dele. Havia uma família que precisava dele também, que merecia existir, e ele voltar atrás para ser meu pai acabaria com tudo isso.

Robert está me olhando com uma expressão que só consigo descrever como amorosa. Um amor apreensivo, tímido, um amor que não sabe muito bem qual é seu lugar, onde ou como vai ser recebido — mas é amor, mesmo assim. E acho que talvez isso seja suficiente. Por ora, aqui nesta mesa, é suficiente.

Vinte e um

Tobias pediu demissão na semana seguinte e três dias depois desocupou seu escritório. Não que ele tivesse muita coisa lá. Chegou em casa com um caixa cheia de fotos impressas — basicamente o que ele havia levado quando começou.

"Lane vai ficar no seu lugar?", perguntei.

"Por enquanto", ele falou, de um jeito que deixava claro que não queria estender o assunto. Tobias era assim — às vezes podia ser curto e grosso. Quando tomava uma decisão, não havia mais volta.

"Legal", falei. "A gente devia comemorar."

Fomos comer tacos no nosso lugar favorito em Park Slope. Pedimos margaritas e nos empanturramos de nachos grátis e guacamole. Tirei uma caixinha da bolsa e coloquei na mesa.

"O que é isso?", ele perguntou.

"Um presente de aniversário atrasado", eu disse. Seu aniversário tinha passado quase batido no mês anterior. Ele tinha dito que não queria presentes (só um bolo, um cartão e eu, sem muita roupa), e eu acatei, mas queria lhe dar aquilo fazia tempo.

"Sabby", ele disse. "Falei para você não fazer isso."

"Mesmo assim."

Ele abriu. Dentro estava o relógio de bolso do meu pai.

Minha mãe tinha me dado anos antes — nem me lembrava quando. Era de ouro, com um fio de prata em volta.

"Adorei", ele disse. Segurou-o nas mãos com cuidado e delicadeza.

"Também tem uma bússola", falei, apontando.

"Caso eu me perca." Ele me olhou, mas não estava rindo.

"Para você sempre conseguir encontrar o caminho de volta", respondi.

Ele pegou minha mão, beijou meus dedos. Quando uma banda de mariachis começou a tocar, Tobias estendeu o braço: "Quer dançar comigo?".

Era um restaurante pequeno, com umas dez mesas no máximo — e estava tarde, mais de onze horas.

Ele me puxou para mais perto de si. Estava usando uma camisa xadrez, uma que ele não gostava, mas que eu adorava e vivia falando a respeito. Eu sabia que estávamos em um restaurante barato, dividindo uma entrada e nos entupindo com os nachos que eram cortesia. Eu sabia que tínhamos vinte e nove anos, talvez velhos demais para aquilo, mas senti que eu estava exatamente onde precisava. Tobias estava em casa. Simples assim. O resto, concluí, se encaixaria naturalmente em seu devido lugar. Por que me preocupar com dinheiro se eu tinha amor?

"No que você está pensando?", Tobias sussurrou ao me abraçar.

"Que a gente devia estar no México", respondi. "Em Tulum, talvez no Cabo. Ou no Caribe."

"Humm. Me conta mais."

"Você, eu, a brisa do mar. Mergulhos no meio da noite."

"E?"

"O tempo todo só de biquíni."

"Às vezes nem isso."

"A gente podia ficar naqueles hotéis com camas enormes com dossel e cortinas no lugar das portas."

"E os insetos?", Tobias perguntou.

"É uma ilha paradisíaca, amor", respondi. "Não tem insetos."

Senti que ele ficou tenso nos meus braços. Por um instante não entendi o motivo, o que tinha acontecido, e então me dei conta. Eram férias fictícias. Ele pensou que era uma sugestão para que fôssemos mesmo para o México, tirar férias, e naquele comentário deixei transparecer que sabia que isso não ia acontecer. Não tínhamos dinheiro; claro que não ia rolar. Mas ele ainda estava curtindo a fantasia. A ideia de que talvez, de repente, e se?

Nesse momento, pensei em Paul. Fiquei com vergonha disso. Lembrei da nossa viagem a Portland. Nos hospedamos no Heathman como se não fosse nada de mais, fomos a bons restaurantes, dois shows de música, porque podíamos. Também tínhamos viajado para San Francisco e Londres. Foi tudo tão simples, tão tranquilo, e mais uma vez senti falta disso — de um tipo de parceria em que eu não sentia que toda a responsabilidade estava só nos meus ombros.

Duas semanas se passaram, e depois mais duas. Tobias começou a montar o site. Estava em casa o tempo todo trabalhando no computador. Dizia que ia colocar o site no ar e depois fazer um anúncio.

Pensando retrospectivamente, eu devia saber. Tobias era criativo, dedicado e talentosíssimo, mas não tinha o que era necessário para transformar seu talento em um meio viável de sobrevivência. Quando estava empregado, e quando trabalhou com Wolfe, havia estrutura, organização, um sistema em que se encaixar. Ele odiava o sistema, mas não entendia que toda empreitada, por mais criativa que fosse, precisava de um.

Fui aprendendo pouco a pouco sobre o ramo da fotografia nos anos em que vivi com ele. Em certo sentido, eu tinha mais condições de entender a carreira de Tobias do que ele. A maioria dos fotógrafos monta um portfólio enquanto trabalha como assistente, isso eu sabia. Começam a conseguir os trabalhos que não interessam aos chefes — os refugos, digamos. As sessões que exigem viagens longas demais, pagam muito pouco ou vão para publicações menos relevantes. Esses trabalhos os levam a ter mais independência, o que por sua vez rende mais oportunidades — e mais contatos. E por aí vai. Mas não foi o caso de Tobias. Porque ele deixou de ser assistente de Wolfe e foi trabalhar para alguém cuja clientela não era do interesse dele. E trabalhar por conta própria, sem um sistema de apoio, era bem arriscado, principalmente para alguém como Tobias, tão suscetível aos altos e baixos de seu universo interior.

No começo, ele mergulhou de cabeça na vida de freelancer, e sou obrigada a admitir que, por mais ingênuo que pudesse parecer, me senti contagiada por seu entusiasmo. Eu sabia que não seria fácil, mas pensar nisso parecia uma traição a Tobias, ao seu talento e ao meu amor por ele. Então ignorei essa parte. Só observei enquanto ele gastava um dinheiro que não tinha — e que precisávamos para pagar o aluguel e o casamento (tínhamos marcado a data para o segundo trimestre em uma igrejinha em Park Slope que vimos um dia e que nos agradou) — em novos equipamentos fotográficos. Eu dizia para mim mesma que ele precisava investir para poder ganhar. Eu me sentava ao seu lado no computador, vendo e selecionando as fotos da cidade que ele tinha passado o dia fazendo. Eram lindas. Velhinhos com os netos. Garçons de cafés do West Village que faziam Nova York parecer Paris. Graffiti. Ele ia procurar trabalho, dizia. Ele ia marcar reuniões com editores e mandar fotos para revistas. Conhecia todas as jogadas. Era só questão de tempo antes de conseguir sua primeira sessão remunerada. Eu acreditei.

Mas, à medida que as semanas passavam, o plano foi mudando. Não era mais sobre conseguir trabalhos. Ele falou que não queria mais saber de sessões que sugavam sua alma. Que não conseguiria fazer aquilo de novo. Começou a sair para fotografar. O tempo todo. Faltou a um jantar com Kendra e o namorado. Cancelou a noite de drinques que tínhamos marcado com David e seu novo namorado, Mark. Tudo o que ele fazia, dia e noite, era fotografar.

"Quando você acha que o site vai ficar pronto?", perguntei algumas semanas depois. Eu tinha acabado de chegar do trabalho. A Random House tinha se fundido com a Penguin não muito tempo antes, e havia gente sendo demitida a torto e a direito. Eu achava que meu emprego estava a salvo, por ora — o departamento editorial ainda não tinha sido afetado, mas era só uma questão de tempo. Eu não tinha minha própria lista de autores, pelo menos não uma digna de nota, e sabia que seria difícil conseguir um bom emprego em outra editora. Teria que recomeçar do zero, como assistente, mas estava quase pronta para uma promoção. E estava chegando aos trinta sem ter nada do que eu queria no futuro. Nem dinheiro, nem tempo, nem mesmo férias. Gastei tudo na esperança de que um dia... o quê? Acontecesse alguma mágica? Tobias ficasse famoso? Eu nem sabia mais o que ele andava fazendo.

"Sei lá", ele respondeu. "Acho que preciso de mais material."

"Sério?"

Eu me arrependi assim que abri a boca. Minha irritação era perceptível na minha voz. Ele me deu um olhar de desdém — como se eu não entendesse, nem fosse capaz disso. Dei uma boa olhada em Tobias, de calça de moletom, e pensei que talvez ele tivesse razão — eu não entendia mesmo. Eu era uma pessoa que apoiava artistas no meu trabalho, mas não era uma.

"Eu posso ajudar", acrescentei, tentando voltar atrás, me corrigir. "Conheço artistas. Ajudo escritores o tempo todo. Podemos publicar um anúncio no *Village Voice*, no Twitter... você pode fazer umas fotos comerciais para ampliar o portfólio." Acrescentei essa última parte, mas ele não estava nem ouvindo.

"Acho que preciso fazer uma exposição", ele disse. "Fui até o Queens hoje e tirei um monte de fotos." Ele virou o computador para eu ver. Havia centenas de fotos do parque da Feira Mundial. Eram lindas. Eu dei meu apoio habitual — "Uau", "Adorei essa" —, mas à medida que ele ia mostrando as imagens fui me sentindo cada vez menos generosa. Por que ele não podia passar o dia fotografando um casamento? Um bar mitzvah? Ou a festa de aniversário de um cachorro, se alguém pagasse por isso? A cidade estava cheia de gente disposta a abrir a carteira para alguém com a capacidade de Tobias — e me incomodava saber que ele se achava bom demais para isso. Que eu estava ralando no trabalho e ele aqui, pensando em galerias e fotografias, e não nas contas a pagar.

"Que tipo de exposição?", perguntei quando ele terminou de me mostrar as fotos.

"Ah, você sabe, uma mostra", ele falou. "Um lugar onde eu possa exibir meu trabalho e convidar os figurões para ver."

"Onde?", perguntei. Não fazia ideia do que ele quis dizer com figurões. Quem disse que, se ele fizesse uma exposição, essas pessoas iriam? Ele já não tinha todos esses contatos? Cada passo que ele dava parecia levá-lo a andar em círculos.

Eu estava começando a achar que ele sequer cogitava aceitar clientes que não fossem a *Vanity Fair*.

"Na NYU", ele falou. "Meu amigo Joseph trabalha no departamento administrativo da Tisch e disse que podia organizar." Ele estava determinado a insistir naquilo.

"Tobias", eu disse. "Não tenho como continuar bancando tudo sozinha por muito tempo."

"Eu sei", ele resmungou. "É por isso que estou trabalhando dia e noite para fazer esse negócio ir pra frente."

"Ótimo!", falei. "Então tá." Peguei meu próprio laptop. Eu precisava terminar de editar um texto para minha chefe. E queria uma taça de vinho. E tomar um banho. E encerrar aquela conversa.

"Podia pelo menos fingir que você acredita em mim", ele murmurou.

Fingi que não ouvi, ele foi até a cozinha preparar uma massa, um sanduíche ou alguma outra coisa para comer e depois foi para o quarto, e quando terminei de editar o texto ele já estava dormindo.

No dia seguinte, no trabalho, confessei para Kendra que estava estressada por causa de dinheiro. Tinha pagado o aluguel sozinha dois meses seguidos, o que levou embora metade das minhas economias. Eu não sabia se conseguiria fazer isso mais um mês.

"Você precisa falar isso pra ele", ela me disse enquanto tomávamos café e comíamos donuts em sua sala, com as portas fechadas. Kendra tinha sido promovida a editora efetiva, um cargo que eu também deveria ter, considerando meu tempo de casa. Mas eu também precisava reconhecer que a situação com Tobias estava afetando a minha produtividade. Era uma grande ironia: eu precisava do meu emprego mais do que nunca, mas estava me esforçando menos. Demorava três horas para fazer uma coisa que exigiria uma. Estava distraída e temerosa. Sim, era medo o que estava por trás. Eu temia que tudo fosse por água abaixo — e então o quê?

"É responsabilidade demais para assumir sozinha", continuou Kendra.

Eu lambi um pouco de caramelo dos dedos. "Ele anda bem sensível", falei. "Acha que não acredito nele."

Kendra balançou a cabeça para ajeitar os cabelos. Tinha deixado crescer a franja e estava com um visual meio punk que combinava com ela. E ainda namorava Greg. "E você?", perguntou. "Acredita nele?"

Era uma pergunta que deveria responder automaticamente. Claro que sim. Tobias era o artista mais talentoso que já conheci. Me convenci disso desde que vi sua primeira foto na exposição dos alunos da UCLA. Mas também sabia que minha opinião não era neutra. Eu o amava. Estava envolvida de uma forma que não me permitia ser imparcial. Também sabia que ter talento não bastava. Nos meus quase quatro anos na Random House, tinha conhecido e lido muitos autores talentosos que nunca chegaram lá. Alguns originais eram espetaculares, mas não dava para publicar tudo, e na maioria das vezes os que conseguiam fechar contratos eram os escritores mais conhecidos, as celebridades, os que tinham mais seguidores no Twitter e uma presença mais forte e direcionada no Instagram.

Eu queria acreditar, como já tinha acreditado, como Tobias, que o talento algum dia falaria mais alto — que todos os bons manuscritos, fotografias e pinturas acabariam ganhando os holofotes. Mas era uma crença cada vez mais difícil de manter.

"Ele tem um talento incrível", disse para Kendra. Sobre isso, não tinha dúvidas. "Só não sei se isso é suficiente. Ele acha que o mundo tem que se curvar aos seus pés, mas as coisas não funcionam assim."

Ela assentiu com a cabeça. "Se ele estivesse tomando medidas concretas para se estabelecer, seria uma coisa", Kendra ponderou. "Mas pelo jeito está só andando por aí brincando com a câmera. A impressão que dá é que ele está tirando vantagem de você."

Essas palavras me fizeram até derrubar meu donut. Tobias não era assim. Ele nunca me usaria deliberadamente, sem pensar no melhor para nós dois. Mas eu precisava conversar com ele, ser sincera com ele, nisso Kendra tinha razão. Não dava para continuar daquele jeito — estava gastando um dinheiro que eu não tinha, e ainda tinha esperança de me casar na primavera. Ainda queria uma festa de casamento — por mais bobo ou fútil que isso parecesse. Eu estava cega. Mas amar não é isso também? Se recusar a ver as partes que são tão difíceis e desanimadoras que fariam qualquer um sair correndo? Ou é conseguir ver tudo isso e ainda assim continuar a amar?

22h57

"Tenho dificuldade de lidar quando as pessoas vão embora", digo. Estou me sentindo mais vulnerável do que uma hora atrás — olhando ao redor, enquanto terminamos a sobremesa, percebo que estamos todos um pouco mais sensibilizados. O tempo está passando, e preciso ser sincera sobre as coisas dentro de mim que precisam vir à tona. "Você e depois Tobias", digo, apontando com a cabeça para Robert.

"E eu", Jessica diz.

Olho para ela.

"O quê?", pergunta. "Eu também fui embora. Você me culpa por isso. Acha que eu deveria ter feito mais, ou que te abandonei, ou que ainda precisava de mim, mas não é assim que eu vejo as coisas", Jessica diz.

"E como você vê as coisas?", Audrey pergunta, com um tom suave e maternal.

"Nós amadurecemos", ela responde. "A gente não morava mais juntas. Eu casei."

Pensei que essa questão tinha sido esclarecida quando ela perguntou por que eu a incluí entre os convidados, por que ela estava aqui, mas a mágoa entre nós é profunda. Provavelmente porque nossa história também é.

"Eu sei de tudo isso", digo. "Mas você age como se não

se importasse, como se nossa amizade fosse um estorvo na sua vida. A gente só se vê quando eu tomo a iniciativa. Às vezes sinto que, se eu parar de te ligar, a gente nunca mais vai se falar."

"Que absurdo", Jessica diz, mas sem muita convicção.

"É mesmo?"

"Eu tenho um bebê, sabia? Minha vida está diferente. *Isso* você jamais entenderia."

"Já era assim antes do bebê. Você era minha melhor amiga, mas Kendra sabe mais sobre o que está acontecendo na minha vida do que você."

Jessica solta o ar com força, como um assobio. "Você é inacreditável", ela diz. "Nunca é responsabilidade sua, né? Você nunca tem culpa. As pessoas são humanas, Sabrina! Fazem besteira, não são perfeitas, são egoístas e às vezes estão fazendo o melhor que podem."

Ao meu lado, Tobias pressiona o nariz entre os olhos, perto das sobrancelhas.

"Jess", eu digo.

"Ok", ela diz. "Vou ficar aqui quieta enquanto você detona a gente, só concordando e pedindo desculpas. Afinal, é seu jantar, certo?"

Essas palavras me atingem como um soco. "Desculpa se eu exijo demais de você", digo devagar. "Mas eu não tenho família. A minha mãe está a milhares de quilômetros daqui; eu moro sozinha..." Minha voz fica embargada, e eu fico com raiva disso, com raiva de estar me expondo tanto, de me sentir incapaz de levantar, ir embora e seguir em frente. Com raiva por ela estar certa — não é responsabilidade dela, claro que não. Ela não tem como resolver nada, mesmo se ficasse ao meu lado o tempo todo. "E eu preciso de você às vezes. E nem sempre queria ter que pedir. Não quero sentir que ser minha amiga é uma espécie de obrigação pra você."

"Mas não é", Jessica responde.

"Ah, não?" Você queria mesmo ter vindo aqui hoje? Tem alguma vontade de manter essa tradição de aniversário?"

Jessica me encara. Pela primeira vez na noite, percebo o quanto parece cansada. Com olheiras fundas, parece que não dorme há dias.

"Eu queria que você tivesse um bom aniversário", ela diz, o que obviamente não responde a minha pergunta.

Mas eu também não tenho uma resposta.

"Tem coisas que preciso fazer, ou minha vida sai dos trilhos", ela diz. "Sei que não é isso que você quer ouvir, mas é a verdade."

"Eu sinto sua falta", digo.

Jessica passa a mão pelos cabelos. "Eu também sinto sua falta", responde. "Só que nem sempre tenho energia suficiente para fazer alguma coisa."

Um garçom aparece ao meu lado. "Já terminou?", pergunta, apontando para a sopa de sorvete que se formou no meu prato.

"Já", respondo.

"Você pega pesado comigo", Jessica diz.

"É exatamente assim que me sinto em relação a você", digo a ela. "Você nunca concorda com nada do que eu faço."

"Não é verdade", Jessica rebate. "Acho você incrível. A sua carreira, eu tenho inveja disso. Sinto falta de uma vida assim."

"Mas você é tão feliz em Connecticut", comento.

"Sou?", ela pergunta. "Você só foi me visitar três vezes em todos esses anos. Como pode saber?"

É verdade, eu nunca vou para lá. Ela também nunca me

convida, mas o que veio primeiro? Minha falta de vontade de ir ou a falta de vontade dela de me procurar?

"Desculpa", eu digo. "Sério mesmo. Eu não..."

"Já falei, eu entendo. É assim que as coisas estão agora. E acho que não tem muito que a gente possa fazer a respeito."

"Mas e se a gente continuar se afastando e nunca mais se reaproximar?"

Jessica suspira e me encara, sem piscar. "Mas e se isso não acontecer? Não podemos acreditar nisso, pra variar?"

Vinte e dois

"Por que você não vai para o nosso chalé?", Kendra me falou no trabalho. Eu reclamei que o clima na cidade estava claustrofóbico, mas na verdade era o nosso apartamento. Quando Tobias não estava tirando fotos, estava na poltrona editando as imagens. Eu andava bem decepcionada por chegar em casa e encontrá-lo lá — me dava um desânimo tremendo. "Os meus pais nunca usam. Você pode passar o fim de semana lá e descansar a cabeça."

Pensei na ideia de beber um bom vinho ao lado da lareira, desligar o celular e ouvir o vento ou as árvores ou os ruídos da natureza, quaisquer que fossem — fazia tempo demais. Era novembro, e a última vez que tinha saído da cidade foi nossa viagem à praia. "Parece maravilhoso", respondi.

"Legal, amanhã eu trago a chave."

Cheguei em casa com a intenção de contar meus planos para Tobias. Pensei que ele fosse ficar contente por passar o fim de semana sozinho — e que seria bom para nós um tempinho separados.

Quando entrei, estava tocando uma música do Mambo Kingz — uma salsa que eu adorava. Senti o cheiro do alho, do azeite e de uma mistura de temperos que só Tobias sabia fazer.

Deixei a bolsa no chão e tirei os sapatos. Ele estava ao fogão, e imediatamente se virou para mim, com um sorrisão no rosto.

"Minha rainha", disse. "Bem-vinda ao paraíso." Tobias me pegou pela cintura e me levou até o balcão da cozinha, onde estava o liquidificador cheio de margarita e duas taças com sal na borda. "Não podemos ir para o México, então trouxe o México para nós." Ele me ofereceu uma taça.

"Sim, por favor."

Ele serviu primeiro meu drinque depois o seu. "*Viva margaritas*", Tobias disse, arriscando um espanhol.

"Um brinde a nós", falei.

Em vez de tomar um gole, agarrei a gola da camiseta dele e o puxei para um beijo.

Ele deixou seu copo e me ergueu do banquinho do balcão, passando as mãos pelas minhas costas e me puxando para junto de si.

"Estou cozinhando", ele falou, com a boca colada à minha.

"Não mais."

Fazia quase três semanas que nós não transávamos — um recorde para nós, e um indício de que havia algo errado no nosso relacionamento. Sexo era importante para nós — ou para mim, pelo menos. Era bom, muito bom, e quando estávamos nesse clima eu sentia mais certeza do que nunca de que nosso lugar era um com o outro. Quando não estávamos, eu me sentia fraturada, desconexa.

Tobias levou os lábios ao meu rosto. "Tem três tipos diferentes de fajitas no fogo", ele me disse. "Sem chance." Ele apertou minha bunda e me afastou gentilmente para voltar sua atenção à comida. Não me senti rejeitada, achei divertido. Estávamos de volta à bolha do amor. Bebi meu drinque e fiquei vendo-o cozinhar.

Depois que comemos, com os dois empanturrados de fajitas e tequila, contei sobre a ideia de ir para Berkshires. Mas não falei que queria ir sozinha. Disse que gostaria que fôssemos juntos.

"Parece perfeito", ele respondeu.

Fiquei empolgadíssima. Senti que íamos nos reconectar, deixar de lado a hostilidade dos meses anteriores e seguir em frente, e eu sabia que essa viagem serviria como o botão de reset que precisávamos. Tinha sido tão bom nos Hamptons que eu queria um pouco daquilo de volta — a diversão, o ânimo e a espontaneidade que eu achava que definiam nosso relacionamento. Nossa casa tinha se tornado um lugar sobrecarregado pela pressão — dinheiro, trabalho, a vida. Queria que fôssemos a algum lugar que não tivesse tudo isso pairando sobre nossa cabeça. Onde tivéssemos mais espaço e ar fresco. Eu teria a conversa que ensaiei com Kendra na semana anterior. Com espaço e ar fresco, fora da cidade, Tobias me escutaria. Nós daríamos um jeito.

Naquele fim de semana, alugamos um carro e fomos para Lenox. Tobias dirigiu, e eu abri minha janela. Era início de novembro, ainda outono — o clima era frio e límpido, mas não gelado —, e as folhas ainda não tinham caído por completo. A paisagem do interior do estado tinha tons de dourado, vermelho e laranja. Estendi a mão para Tobias.

Ele levantou o polegar e acariciou meu mindinho. Assim que saímos do Queens, comecei a respirar aliviada.

Jessica ligou. Eu ignorei a chamada.

"Você não precisa atender?", Tobias perguntou.

"Não", respondi.

Ele se virou para mim e deu uma piscadinha.

O chalé dos pais de Kendra ficava no alto de um morro, com vista para um pasto de ovelhas e vacas. Era pequeno, tinha um quarto, um banheiro, uma cozinha minúscula, uma lareira e uma varanda com tela. Nós levamos comida e vinho, e eu desembalei as coisas enquanto Tobias acendia o fogo.

Jessica ligou de novo. Eu não ouvi. Meu celular estava na bolsa, no silencioso, como ficaria pelo resto do fim de semana.

"Quer uma taça de vinho tinto?", perguntei.

"Abre o Nero d'Avola", ele disse.

Encontrei o saca-rolhas na sacola que levei. Kendra falou que o chalé era totalmente equipado, mas não quis arriscar. Passar o fim de semana sem vinho não ajudaria em nada.

Tobias saiu para pegar lenha de uma pilha que ficava ao lado do chalé, e peguei o gruyère e o gouda que tinha comprado, junto com algumas uvas, e coloquei em uma tábua com biscoitinhos salgados e amêndoas — as temperadas do Trader Joe's, que eu sabia que Tobias adorava.

Quando ele voltou, servi duas taças de vinho e levei uma, equilibrando os queijos com a outra mão.

"Pode deixar." Ele pegou a tábua e colocou sobre o aparador. Entreguei o copo de vinho e me sentei em uma poltrona de frente para a lareira enquanto ele acendia o fogo.

"Posso ajudar?", perguntei entre um gole e outro.

Ele inclinou a cabeça para mostrar que tinha achado a ideia doida, mas deu para ver que também achou fofa. Com a cabeça inclinada a quarenta e cinco graus para a esquerda e um dos olhos fechados, me perguntou: "Não sei, você consegue?".

"Posso dar uma boa atiçada no seu fogo", falei.

Ele levantou as sobrancelhas para mim. "Ah, é? Pode mesmo?"

"Talvez", respondi. Tomei mais um gole, espiando-o por cima da taça.

"Acho melhor você ficar aí mesmo", disse. Ele se levantou

e veio até mim, deslizou a mão pela minha coxa e me beijou no rosto.

Eu o puxei para a poltrona junto comigo. Retomamos o que tínhamos interrompido com as margaritas. Arranquei sua camisa e comecei a passar as mãos por seus ombros e suas costas. Ele tirou minha blusa e me beijou perto da clavícula, no lugarzinho entre o meu ombro e minha orelha que sempre me deixava maluca.

Tudo que precisávamos era essa proximidade. Colados um ao outro, sem nenhum espaço entre nós. Se fizéssemos isso, estávamos bem. Era o mundo — cheio de caos e barulho, de exigências, de gente e de ar — que nos fazia brigar, que nos separava, que estava nos afastando.

Tobias se inclinou para trás para me olhar. Ele se ergueu por cima de mim, tão perto que eu conseguia sentir o cheiro do vinho em seus lábios.

"Já contei pra você o que aconteceu depois que a gente se conheceu naquele dia no metrô?", ele perguntou.

Ele não tinha. Nós conversamos sobre o dia na praia — nosso outro começo —, mas não sobre aquele.

"Eu desci na estação seguinte. Fiz o resto do trajeto a pé. Precisava ligar para o Matty."

"Por quê?", perguntei.

"Porque eu precisava contar para alguém quem eu tinha encontrado", ele disse.

"Quem?"

"Você." Ele segurou meu queixo e levou os lábios às minhas pálpebras, minhas bochechas, minha boca.

"Fica perto de mim", eu pedi.

"Sempre", ele respondeu.

Em seguida beijou minha orelha e meu ombro. Eu o peguei pela mão e fomos para o quarto.

Mais tarde jogamos Banco Imobiliário e bebemos duas garrafas de vinho. Tobias fez macarrão com pesto e frango grelhado. Eu sabia que precisávamos conversar, mas precisávamos mais daquela noite. Precisávamos lembrar o que nos tornava especiais e diferentes *juntos*. Queria fazer amor, comer e ficar abraçada a ele.

Podemos conversar amanhã, pensei.

Amanhã.

23h05

Jessica está segurando a camisa longe do corpo, e quando olho percebo que está encharcada. Ela está vazando de novo e tentando esconder as manchas de leite.

"Com licença", ela diz. Pega a bolsa do chão e corre para o banheiro. Quando a vejo se afastando às pressas, segurando a blusa daquele jeito, sinto um soco no estômago. Gostaria que não tivéssemos acabado de brigar.

"Preciso tomar um ar", aviso. Conrad faz menção de se levantar, mas Audrey põe a mão em seu ombro com firmeza.

"Eu vou", diz.

É a primeira vez que ela se levanta, e reparo em sua calça preta impecável na altura dos tornozelos, e em suas sapatilhas de couro envernizado da mesma cor. Ela tira o suéter Chanel do encosto da cadeira e o joga nos ombros.

"Depois de você", ela fala, apontando para a porta.

Do lado de fora, sinto vontade de fumar. O cigarro de antes, compartilhado com Conrad, reacendeu minha compulsão. Sinto vontade de arrancar minha própria pele, enrolar e acender, quando vejo que Audrey está com um maço na mão.

"Acho que isso não tem como me fazer mal agora", ela diz, ecoando as palavras que Conrad disse mais cedo. "Quer um?"

Seu jeito tranquilo e peculiar de falar me deixa nervosa. Estou sozinha com Audrey Hepburn.

"Por favor", respondo.

Ela tira um cigarro do maço, passa para mim e pega outro para si. Primeiro acende o meu, depois o seu. Nós duas damos a primeira tragada de um jeito que só pode ser descrito como excessivo. Audrey exala primeiro e é envolvida por uma nuvem de fumaça.

"Agora sim", ela diz, tossindo um pouco. "*Non?*"

Eu sorrio e solto a fumaça.

"Você sabe muita coisa a meu respeito?", ela pergunta. Deve querer saber por que está aqui.

"Um pouco", digo. "Seu trabalho, principalmente." Eu sei mais que isso — sei de muitas coisas —, mas parece estranho dizer isso, aqui fora com ela agora. Porque a verdade é que não sei, não exatamente, por que quis incluí-la na lista. Seus filmes representam algo para mim. Não só por causa de Tobias, mas também do meu pai. Uma das poucas coisas dele que ficaram comigo, fora o relógio, é uma coleção de filmes antigos: *Charada*, *Bonequinha de luxo* e *Sabrina*.

Ela assente com a cabeça. "Sabia que eu passei a Segunda Guerra Mundial na Holanda? Nós pensamos que lá fosse seguro, sabe. Não achamos que eles fossem invadir..." Audrey se interrompe e dá outra tragada. "Foi uma época horrorosa. Cinco anos quase sem conseguir se alimentar. Nós triturávamos bulbos de tulipas para fazer uma massa como pão. Vi amigos serem levados. Meu próprio irmão foi enviado para trabalhar na Alemanha. Se soubéssemos o que vinha pela frente, teríamos nos matado antes."

"Lamento muito", digo. "Eu sabia disso, em parte. Deve ter sido um horror. Não consigo nem imaginar."

"Mas quer saber o que foi pior?", ela me pergunta.

"O que poderia ter sido?"

Delicadamente, ela desloca o pouco de peso que tem de um pé para o outro. Estou paralisada — de repente me lembro dela andando por Roma, cantando em um apartamento em Paris.

"Décadas mais tarde comecei a trabalhar com o Unicef, e antes de morrer viajei para a Somália. Ver aquela situação, aquelas crianças passando fome..." Ela engole em seco e percebo, mesmo sob a luz fraca da rua, que seus olhos se enchem de lágrimas. "Foi pior", ela diz. "Porque eu não estava lá junto com eles. E não podia resolver o problema. Dois milhões de pessoas morrendo de fome." Ela balança a cabeça e enxuga os olhos. "Quando você sofre sozinha, é terrível", ela diz. "Mas quando vê outras pessoas sofrendo, gente inocente, pessoas que não têm como se ajudar... é pior."

Ela me encara, e entendo o que está dizendo, o que está tentando expressar. "Obrigada", eu digo. "Por compartilhar isso comigo."

"Sempre fui introvertida, a vida toda", ela diz. "Quieta, pensativa. Talvez seja a hora de me abrir um pouco."

"Posso perguntar uma coisa?", digo.

Ela solta a fumaça outra vez. "Claro."

"Se você pudesse fazer tudo de novo, o que você mudaria?"

Audrey pensa um pouco. "Eu teria me casado de novo", responde. "Uma terceira vez, com Robert. Eu o amava muito. Se precisasse passar por tudo de novo, eu faria isso."

"Só isso?", questiono.

Ela sorri. "Ah, muitas coisas", Audrey diz. "Mas minha vida foi boa. É melhor não ficar remoendo."

Ela se vira para mim de forma abrupta, e mais uma vez me surpreendo pela profunda beleza de suas feições. Ela é deslumbrante, radiante. Delicada como uma pétala de rosa

— perfeita em sua simetria. Uma que nunca perde a cor. E ela não perdeu mesmo, não é? Fico me perguntando como foi o fim de sua vida, se ela chegou a definhar. Não consigo imaginar.

"Sempre fui romântica", ela diz. "Até o fim. As pessoas sempre me associam a romances, mas não sei se me veem assim. Na maior parte das vezes, eu era considerada o objeto de desejo, não a pessoa que deseja, por assim dizer. Acho que, para quem vê meus filmes, é essa a imagem que transparece."

Penso nos filmes dela. Na coleção do meu pai. Em *A princesa e o plebeu* naquela primeira tarde com Tobias. Seu caráter mítico e mágico de estrela de cinema. Mas Audrey Hepburn não é Holly Golightly, na chuva de vestidinho preto e casaco impermeável. Não é Nicole, em Paris, planejando roubar um museu e se apaixonando pelo bandido bonitão. Não é Eliza Doolittle, galgando os degraus da alta sociedade. Tudo isso é ficção. Ideias produzidas na mente dos executivos do cinema. Audrey Hepburn é a mulher que está aqui parada ao meu lado.

Ela me olha com curiosidade, como se estivesse tentando prever o que vou perguntar. O motivo de estarmos aqui juntos. Ou talvez de ela estar aqui. Ou, enfim, pedir seu conselho.

"O que eu faço?", pergunto.

"Você tem escolha?", ela diz.

Olho lá para dentro e vejo Tobias.

"Não sei", digo. "Pensei que pudesse..." Eu me interrompo.

Audrey põe a mão no meu ombro. Tenho um sobressalto. Seus dedos são leves e frios no ar da noite. Parecem gotas de chuva.

"Querida", ela fala. "Você não tem como me reviver só porque quer."

"Eu sei", respondo. "Claro. Mas é que Tobias... não era para ter acontecido assim. Não era para a gente acabar desse jeito."

"Talvez", ela diz. Sua mão ainda está lá. Sinto que ela ainda não disse o que realmente quer falar — está tentando encontrar uma maneira de suavizar o golpe. "Mas, sabendo o que *eu* sei, ter um parceiro com quem você pode existir no mundo, e não alguém que você precisa isolar de tudo, torna a vida bem mais fácil." Ela acaricia meu ombro com o polegar. "O que está feito está feito."

"Não", eu retruco. Sinto vontade de afastar sua mão, de sair pisando duro, de *gritar* com Audrey Hepburn. "Foi culpa minha..." De repente, estou chorando, derramando lágrimas enormes e soluçando, e Audrey me abraça. É uma mulher miúda, claro, muito magra, mas mesmo assim acolhedora — maior e mais calorosa do que aparenta.

"O que estou dizendo", ela murmura, acariciando as minhas costas com movimentos circulares, "é que esse não é seu papel. Você não tem como trazer alguém de volta à vida".

"Mas e tudo isto aqui?", pergunto. "Como isso está acontecendo? E por quê?"

"Meu amor", ela diz. Ela me afasta e me segura à distância de um braço. "Você sabe por quê."

"Não", repito. Dou um passo atrás, mas ela está me segurando com força, e sinto que a onda está vindo — a que ameaça me carregar para o mar aberto.

"Você precisa saber", ela insiste. "Não me perguntou o que fazer?"

Eu assinto.

"Você se despede."

Vinte e três

Decidimos ir até Great Barrington no dia seguinte almoçar na Baba Louie's, uma pizzaria que ouvimos dizer que era ótima. Depois do vegetarianismo, Tobias decidiu testar se uma dieta sem glúten funcionaria para ele (não funcionou), e nesse lugar faziam uma massa sem farinha de trigo. Além disso, queríamos curtir a cidade — andar, fazer compras, respirar ar puro e aproveitar o fato de que não estava nevando. Ainda estávamos no embalo da noite anterior, da proximidade que sentíamos quando estávamos só nós dois.

"Quer comer ou passear primeiro?", Tobias me perguntou.

"Comer", respondi. Tínhamos esquecido de incluir coisas para o café da manhã na nossa lista de mercado, e eu estava morrendo de fome.

A pizzaria só abria às onze, e eram dez e quarenta e cinco. Ficamos abraçados do lado de fora, com Tobias passando as mãos nos meus braços para me esquentar, embora não estivesse tão frio.

"Vamos pegar um café?", Tobias perguntou.

"Preciso de sustância", falei. "Se a gente ficar aqui, quem sabe eles abrem mais cedo." Não havia ninguém à vista, mas eu não queria perder a chance. Tobias deu risada, mas não insistiu.

Por fim, um homem grande de avental branco apareceu

vindo dos fundos do restaurante, acendeu as luzes e nos deixou entrar. Pegamos a mesa perto da janela que tinha um adesivo de uma pizza colado. Senti um déjà-vu assim que nos sentamos — a lembrança tranquila e curiosa de já ter estado ali antes, daquele mesmo jeito. Nunca tínhamos ido aos Berkshires juntos. Fui uma vez com a minha mãe quando era criança, e outra enquanto Tobias estava fora, com Paul. Mas eu decidi que adorava aquele lugar. Não a praia — aquele era o nosso lugar. Minha cabeça ficou a mil. Talvez devêssemos refazer os planos e nos casar lá. Criei uma imagem mental em que me vi no hotel Weathleigh, com um vestido lilás clarinho, uma coroa de flores na cabeça. No verão. Nossos amigos sentados em cadeiras brancas de madeira enquanto eu caminhava na direção de Tobias.

"Em que você está pensando?", ele quis saber. Ele perguntava isso com frequência no começo da nossa relação, depois quase nunca. Encarei isso como um sinal de que ele não queria mesmo saber, mas, ali, naquele momento, me pareceu a salvação.

"Que seria muito lindo casar aqui."

Ele se recostou na cadeira. Era um sinal de evasão, mas eu não sabia o quanto.

"Não ia ser em Park Slope, só com nós seis?"

Tínhamos decidido: Tobias, eu, Jessica, Sumir, Matty, minha mãe. Tobias não queria convidar os pais dele, e eu não insisti. Eles não eram próximos, nunca foram.

"Eu sei", falei. "Só estava pensando que aqui é muito lindo. E teria espaço para todas as pessoas que a gente gosta."

"Pensei que Park Slope fosse o nosso combinado", ele disse. Estava um pouco irritado, agitado. "Falei que eu queria casar escondido."

"E falei que eu não queria", retruquei. A irritação dele

provocou uma reação em mim. Era como se tudo o que eu estava sufocando, suprimindo, tivesse vindo à tona — uma ruptura, uma falha geográfica.

"Sim. É por isso que vamos casar na igreja."

A garçonete apareceu nessa hora. Ela tinha alargadores nas orelhas e cabelo roxo, parecia ter uns vinte anos. Fiquei me perguntando se estava no colégio ou na faculdade, ou se vivia com a família. Nesse momento, pensei no meu pai.

"Vocês já querem fazer o pedido?", ela perguntou.

Nós pedimos para ela voltar dali a alguns minutos. Talvez tenha sido um erro. Talvez devêssemos ter feito nosso pedido. Talvez a pizza tivesse chegado a tempo de impedir o que aconteceu em seguida.

Isso é curioso na vida — os momentos definidores surgem do nada. Uma chamada perdida. Um tropeço na escada. Um acidente de carro. E acontecem em um instante, um piscar de olhos.

"Então você quer uma grande festa de casamento?", Tobias perguntou. Não era uma acusação, não exatamente, mas dava para perceber a animosidade na pergunta. *Uma grande festa de casamento*. Era como defender cortes de impostos para os ricos. Uma coisa mais do que frívola — uma ostentação de privilégio não só desnecessária e chamativa, mas também vergonhosa.

"Sim", eu falei. "Quero uma grande festa de casamento." Aquilo era um desafio. Nem era verdade. Eu não queria uma grande festa. Não tinha muitos amigos e quase não tinha parentes, mas queria expor a mentalidade dele. Queria trazê-la à luz e dizer: *Está vendo? É por isso que estamos assim. Não sou eu, é você.*

"Certo", ele falou. "Tudo bem. Vamos dar uma festona. E vai ser aqui. Podemos almoçar agora?"

Era o que eu queria ouvir, mas estava tudo errado. Estávamos em uma espécie de disputa para ver quem fazia mais concessões.

E então entendi o que estava acontecendo de verdade: nós não sabíamos fazer um ao outro feliz.

Eu achava que ele sabia o que eu precisava. Que eu queria acreditar que estávamos avançando, amadurecendo, que sairíamos daquele estágio, teríamos uma vida com alguma estabilidade — mas ele não sabia. Ou talvez soubesse, mas não fosse capaz de me dar isso. Todas as brigas, alfinetadas e estranhamentos, todas as manhãs de mau humor giravam em torno desse simples fato. Ele queria me fazer feliz, e eu queria que *ele* fosse feliz, mas não éramos compatíveis.

"Não", eu falei. "Acho que não dá."

"Minha nossa, Sabrina, o que é que você quer?"

"Quero nós dois na mesma sintonia. E nós não estamos. Faz um bom tempo."

"Então é por minha..."

"Não", interrompi. "Não é. Não é culpa de ninguém. Mas isso acontece o tempo todo. Estamos sempre nos cutucando. Nós não queremos as mesmas coisas. Nunca nem conversamos sobre filhos."

"Não conseguimos decidir nem como vamos nos *casar*", ele rebateu. Em seguida passou a mão no rosto. "Por que não podemos pensar em uma coisa de cada vez?"

"Porque não é assim que a coisa funciona entre nós. Ficamos estagnados e depois ficamos ressentidos um com o outro por causa disso." Foi de cortar o coração dizer isso em voz alta.

Ele levantou e saiu. Eu fui atrás. O sol tinha se escondido atrás de uma nuvem, e o ar estava gelado. Meu casaco ficou lá dentro, nas costas da cadeira.

"Eu detesto me sentir assim, e detesto fazer você se sentir assim. Porra, eu fico me sentindo um inútil." Ele pôs as mãos no alto da cabeça. "Não sei se era para ser tão difícil assim."

Senti meu mundo desmoronar. Juro que foi como se o sol tivesse despencado do céu.

"A gente não pode continuar fazendo isso um com o outro", ele falou. Vi o quanto foi dolorido para ele dizer aquilo. Vi a dor em seus olhos. "Não posso continuar fazendo isso com você."

Eu podia perceber o desespero dele, que era o mesmo que eu sentia. O desespero começou a se misturar com raiva, e senti a fúria tomar o lugar do medo dentro de mim. "Vai em frente, então", eu falei, cruzando os braços. Eu estava tremendo. "Termina tudo."

"Sabby..."

"Não", interrompi. Estava vendo estrelas. Sabia que a tristeza seria grande demais, vasta demais — eu não queria sentir. A raiva durava menos. Queria deixar que ela me consumisse.

Tobias começou a chorar. "Talvez a gente só precise de um tempo", falou.

Eu o encarei, perplexa. Parecia que ele tinha enfiado uma espada no meu peito e arrancado meu coração e meus pulmões com um único golpe. Não falei nada. Olhei para minhas mãos. Para o dedo onde estava a aliança. Aquela aliança tão linda, delicada e sutil. Que deveríamos levar conosco por décadas, não meses. Tirei o anel com os dedos trêmulos.

Em seguida a entreguei para ele. "Penhora", falei, com a voz embargada. "Você está precisando de dinheiro."

Voltei para dentro da Baba Louie's, peguei o casaco e saí. Voltamos para o chalé, arrumamos as coisas em silêncio e voltamos para a cidade. Fiquei olhando pela janela, com os joelhos encostados no peito. Estava atordoada demais para chorar.

"Isso não é o fim", ele falou. "Só estamos dando um tempo. Acho que precisamos de um tempo sozinhos. Você não? Sabby?"

Eu estava com medo de ficar sem ele, é claro. Mas ainda mais aterrorizada com a ideia dele sem mim — do que Tobias encontraria naquele período. Se aquela seria sua verdadeira felicidade.

23h21

Audrey e eu ainda estamos do lado de fora. Já fumei três cigarros, e ela está terminando o segundo.

"Acho melhor voltarmos", ela diz, mas ficamos paradas. Sei que ela está certa, está na hora de voltar para dentro, porque o tempo está quase acabando e, agora que sei o que fazer, preciso levar a coisa adiante.

Conrad aparece na porta.

"Minhas caras", ele diz. "Vocês vão se resfriar se ficarem aí mais tempo."

"Que cavalheiro", Audrey faz charme. Ela apaga o cigarro no parapeito da janela. "Vamos?'

Conrad segura a porta, e sigo Audrey de volta para dentro.

"Como foram as coisas lá fora?", Tobias pergunta. Ele tem esperança na voz, uma cadência infantil que me dá um aperto no coração, sei que ele pensa que existe uma saída, que talvez Audrey e eu a descobrimos lá fora. Como posso dizer que não há, que não tenho como fazer isso? Que a vida não é como nos filmes que adorávamos, mas infinitamente mais complexa?

Olho para o lugar de Jessica, mas ela ainda está no banheiro. Robert está ocupado com seu café.

"Sinto muito", digo para Robert. É por ele que vou começar.

Ele põe a xícara na mesa, com um sobressalto.

"Sinto muito que as coisas não tenham dado certo com minha mãe, por vocês terem perdido aquele bebê, que quando você melhorou não quis ou não pôde voltar, e por eu nunca ter te conhecido. Sinto muito por não ter me esforçado mais para te encontrar quando podia e, quando fiz isso, acabei desistindo no caminho. Não sei se teria ajudado, mas não quero que você se torture mais desse jeito. Não acho que isso te ajude, e acho que também não me ajuda em nada. Não quero carregar seus arrependimentos, e acho que de certa forma foi isso que aconteceu. Acho que assumindo esse peso em algum momento, talvez pra te odiar, ou pra me sentir mais próxima de você, sei lá, mas esse fardo é pesado demais para mim, e preciso devolvê-lo a você."

Robert se ajeita na cadeira. Juro que parece que ele vai estender as mãos para mim.

"Mas você também não precisa carregar nada só porque estou te devolvendo esse fardo", eu digo. "Pode deixá-lo por aqui mesmo."

Os olhos de Robert se enchem de lágrimas. "Isso seria bom", ele comenta.

Me levanto, porque quero dar um abraço nele. Não para fazê-lo se sentir melhor, mas porque quero senti-lo. Não tenho nenhuma lembrança de abraçar meu pai. Imagino que ele me abraçasse quando eu era criança, e talvez até me embalasse no colo, mas nunca me ajudou a levantar da calçada quando esfolei o joelho, nem me socorreu depois de uma queda de bicicleta. Não me carregou nos ombros escada acima. Não me derrubou no quintal brincando de futebol americano, nem dançou comigo com os meus pés sobre os seus.

Sei que nunca vou ter essas coisas, que não tem como, que isso se perdeu como conchas no mar. Mas quero experimentar a sensação de estar em seus braços, de ser amada por ele, pelo menos uma vez.

"Pai", eu digo. Ele parece saber o que estou pensando, fica de pé e me abraça. Sinto o cheiro dele — não é o que ficou na minha memória, porque não tenho nenhuma, mas é o que eu esperava, e isso, mais do que qualquer outra coisa, me faz querer chorar em seu ombro. Ele põe uma das mãos nas minhas costas, a outra na minha cabeça. Sei que já fez isso muitas vezes antes, com suas outras filhas, e sei que só vou poder ter isso uma vez, nesta chance que ganhei hoje. É isso. Talvez não compense o que perdemos, mas pode evitar sofrimentos futuros, talvez até servir como um gesto de conciliação.

Ele me afasta e me segura à distância de um braço. "Não foi fácil fazer o que você acabou de fazer", ele diz. "Isso mostra como você é uma mulher forte. Sua mãe te criou muito bem."

Eu o beijo no rosto. Me pergunto se ele vai se lembrar disso, aonde quer que vá em seguida. Acho que vai. Espero que sim.

Volto a me sentar. Do outro lado da mesa, Audrey e Conrad sorriem para mim, como pais orgulhosos.

Jessica volta para a mesa. "Essa coisa fica muito lenta quando está com a bateria descarregada", ela diz, colocando a bombinha de volta na bolsa. "O que eu perdi?"

Robert sorri para mim. Parece mais forte do que antes, o que me deixa orgulhosa, de certo modo.

"Acho melhor pedirmos a conta", digo.

Tobias se mexe ao meu lado. "E a gente?", ele pergunta.

Conrad empurra a cadeira para trás para chamar a atenção do garçom. Os olhos de Audrey estão fixos em mim.

Lembro de um dos ditados de Jessica, um ímã que ficou na nossa geladeira durante todo o tempo que moramos juntas.

Todas as coisas boas têm que chegar ao fim.

"Amor", eu digo. É uma palavra que não uso há muito tempo. Eu seguro suas mãos. Lágrimas começam a escorrer pelo meu rosto antes mesmo que eu consiga falar. "Precisamos nos despedir. Chegou a hora."

Vinte e quatro

Tobias foi para a casa de Matty assim que voltamos de Great Barrington. Eu não queria pensar nele, em nós, no que aquele rompimento significaria — então me concentrei no nosso passado. Repassei nosso relacionamento como se fosse um vídeo do YouTube com os melhores momentos de um programa de TV. Nós na praia, as imagens enormes da exposição ao nosso redor. Nós no vagão de metrô parado. Comendo macarrão na cama. Memórias que se sobrepunham formando uma pilha tão alta que ameaçavam tombar.

Tobias e eu não nos falamos muito nas duas semanas seguintes. Um telefonema aqui, outro ali. Ele queria saber como eu estava, mas eu não soube como responder. *Estou bem, obrigada, perdida no fundo do mar*. Trocamos mensagens de texto sobre coisas práticas — dinheiro, itens compartilhados. Às vezes dizíamos "Estou com saudade". E o mais importante foi que não nos vimos.

Acho que nenhum de nós sabia direito o que estávamos fazendo. Terminar tudo de vez parecia impossível, mas, quanto mais tempo passávamos separados, decidir ficar juntos parecia cada vez mais improvável. Como poderíamos voltar à nossa vida, à nossa relação, ao nosso apartamento depois daquilo? Como seguir adiante? Estávamos empacados, e já fazia um bom tempo.

Quando Matty veio buscar uma caixa com coisas dele, atendi à porta de roupão. Essa era minha rotina — chegar do trabalho, tirar a roupa, vestir o roupão e ficar vendo *How I Met Your Mother* até meus olhos arderem e eu desmaiar de sono.

"Você está péssima", ele me disse.

"Está no quarto", falei. Fui até lá e peguei a caixa do chão. Estava cheia principalmente de roupas e utensílios de cozinha que Tobias pediu "emprestado". Eu empurrei a caixa para Matty.

"Você já jantou?", ele perguntou.

Fiz que não com a cabeça.

"Vamos lá", ele disse. "Estou te convidando."

Não fomos longe. Havia um restaurante de lámen no meu bairro, aonde nós três tínhamos ido juntos várias vezes. Mas era o suficiente para me fazer vestir uma calça jeans, uma blusa e passar um batom.

"Você está outra pessoa", Matty falou quando saí do quarto.

"Sarcasmo nunca foi seu ponto forte", respondi.

"Quem disse que estou sendo sarcástico?"

Pedimos nossas tigelas no balcão, junto com uma garrafa de vinho. Eles tinham um vinho branco barato que sempre quebrava o galho. Matty serviu enquanto eu começava a devorar o macarrão.

"Está bom?", ele perguntou.

"Mais que isso", falei. Não conseguia me lembrar da última vez que havia feito uma refeição de verdade. Minha calça jeans, quando vesti, tinha ficado larga nos quadris.

"Ele ainda está morando com você?", perguntei. Tobias não me contou, mas eu deduzi que sim.

Matty fez que sim com a cabeça. "Está. Mas lá em casa tem espaço." Ele tinha comprado um apartamento de dois quartos em Brooklyn Heights, bem menos pretensioso que o loft no Midtown. Ficava no segundo andar de um prédio mais alto que os demais da época do pré-guerra, com molduras de gesso, eu adorava o lugar. Tinha janelas enormes do chão ao teto e ficava em uma rua arborizada.

"Ele nunca vai mudar", falei, virando meu vinho. Matty encheu minha taça de novo.

"Vai sim", ele disse. "Todo mundo muda. Mas, sabe como é, talvez seja um erro achar que vocês precisam mudar para agradar um ao outro."

Olhei bem para Matty. Ele tinha amadurecido um bocado desde quando nos conhecemos. Sua personalidade — que passou de garoto empolgado para um homem passional — se refletia em sua aparência. Ele se vestia como um adulto. Era bem-sucedido profissionalmente. Fiquei feliz por ele.

"Não sei", eu disse.

"Você vai descobrir", ele falou. Isso me fez lembrar da última vez em que tínhamos jantado só nós dois. Não precisei imaginar se ele pensou *Eu avisei*. Eu sabia que sim.

Matty me acompanhou de volta ao meu prédio e colocou a caixa no carro. Ele me abraçou. "Fica bem", disse. "Se precisar de alguma coisa me liga."

Subi para o apartamento e liguei para Jessica. Não queria contar para ela. Na verdade, vinha evitando seus telefonemas desde Great Barrington. Mas sabia que precisava contar. Se é que Tobias já não tivesse contado — mas parecia pouco provável. Ela o procuraria se não conseguisse falar comigo, mas eu duvidava que ele atenderia, considerando a situação. Na verdade, fiquei surpresa por ela me procurar com tanta persistência. Ela que estava tomando a iniciativa de me ligar.

Coloquei uma almofada no colo e fiz a ligação da antiga poltrona que costumava ser nossa, depois minha e de Tobias, e àquela altura só minha.

"Oi", ela falou. "Finalmente. Pensei que você tivesse morrido."

"Não", respondi. "Estou por aqui."

"Estou tentando falar com você há um tempão", ela disse.

"Eu sei, desculpa. Jess..."

"Espera. Eu tenho uma notícia para dar. Queria contar pessoalmente, mas está começando a dar na cara, então... Estou grávida."

Lembrei imediatamente de um dia no nosso primeiro apartamento, debruçadas sobre a pia, tentando ver o resultado de um teste de gravidez. Dela. Ela estava com Sumir fazia um tempo, mas ainda tínhamos só vinte e dois anos, que não é idade para se ter um bebê. Deu negativo, e nós pulamos e demos gritinhos.

Mudança é a única verdadeira constante.

"Que incrível!", falei. "Fico feliz por você." E estava mesmo. Do pouco que eu sabia de Jessica naquela época, sabia que ela queria engravidar. Sua vida em Connecticut me escapava. Boa parte de quem ela tinha sido parecia ter se dissipado com o tempo. Sentia que ela ainda me conhecia, mas só porque eu continuava a ser quem sempre tinha sido — mas talvez isso também fosse injusto. "Está de quanto tempo?", perguntei.

"Quatro meses", ela contou.

Quatro meses. Ela passou o outono inteiro grávida. E o fim do verão.

"E você, como está?", ela perguntou.

Eu podia ter contado naquele momento, mas não falei nada. Disse a mim mesma que não queria abafar sua alegria, mas não foi por isso, pelo menos não totalmente. Eu não confiava nela em relação àquele sofrimento. E isso me deixou triste — talvez até mais do que a situação com Tobias.

"Tudo bem", falei. "Sabe como é, trabalhando."

"Vem para cá me ver", ela disse. "Eu vou estar enorme daqui a pouco. Minhas calças já não estão mais servindo." Havia alguma coisa em sua voz... seria algum tipo de anseio? Nostalgia? Quis acreditar que era esse o tom de suas palavras. *Eu sinto sua falta.*

"Tenho certeza de que você está radiante", falei. "E adoraria ir."

"Sab?", Jessica falou. Ela não usava meu apelido fazia anos. "Espero que não seja um menino."

Eu ri. Ela também. Era bom rir com ela, mesmo que pelo telefone.

"Vamos fazer alguma coisa no fim de semana que vem", ela sugeriu. "Ou no outro."

"Pode deixar."

Nós desligamos. Tempos depois, quando ela perguntou por que eu não tinha contado nada, falei a verdade: *Fiquei com medo de que você dissesse que era melhor assim.*

23h32

Em resposta a minha sugestão de despedida, Tobias afasta a cadeira e levanta. Ele não diz nada, só anda até a janela. Conrad ergue as sobrancelhas para mim, mas Jessica já está de pé. Ela segue Tobias até a janela, e eles ficam lado a lado. Vejo os olhos de Audrey do outro lado da mesa. Eles me dizem para ficar onde estou, e faço isso.

Não estou muito a fim de conversar. Os demais estão em silêncio. O garçom está tirando os últimos pratos. Audrey pede mais água. Ele me entrega a conta e, apesar dos protestos de Conrad, eu lhe dou meu cartão de crédito. Quero pagar. O jantar é meu, afinal.

Olho para o relógio. O ponteiro dos segundos se move regular como um soldado marchando para a guerra. Tenho uma lembrança, fugaz como o flash de uma câmera, de meu pai cantando para mim quando eu era bem pequena, pisando forte pela cozinha.

*I left my wife and forty-eight children alone in the kitchen in starving condition with nothing to eat but gingerbread. Left. Left. Left, right, left.**

Só quando escuto a voz do meu pai percebo que estou

* "Larguei minha mulher em casa com quarenta e oito crianças passando fome sem nada além de pão e água. Esquerda. Esquerda. Esquerda, direita, esquerda."

cantando em voz alta. Ele começa a me acompanhar. *Esquerda. Esquerda. Esquerda, direita, esquerda.*

Conrad entra na cantoria também. Seu vozeirão toma conta do ambiente, e fico contente que a esta altura só sobramos nós aqui, além dos lavadores de pratos e do garçom. Audrey se junta também, e nós quatro cantamos juntos.

"É uma cantiga bem cruel, se você pensar bem", Audrey comenta, interrompendo nosso ritmo.

"Especialmente para mim", Robert diz. "Mas me lembro com carinho de quando a ensinei para você."

"Todas são", comenta Conrad. "'Mary, Mary, Quite Contrary' é sobre a natureza homicida da rainha Maria da Inglaterra."

"E aquela do poço", lembra Audrey.

"Do poço?", pergunta Conrad. "Eu não conheço nenhuma com um poço."

Audrey franze a testa. "Estou me sentindo meio zonza", ela diz. "Deve ser por causa de todo esse vinho." Ela olha para o relógio na parede, e sinto um aperto no estômago. Olho para Jessica e Tobias. *Não tenho mais tempo, não tenho mais tempo, não tenho mais tempo.*

Não aguento mais esperar. Levanto e vou até eles.

"Como estão as coisas aqui?", pergunto.

Jessica olha para Tobias. "Bom, ele está morto, e pelo jeito vai continuar assim, então não dá para dizer que está tudo bem."

Tobias começa a rir. Fazia tempo que não ouvia sua risada. Desde bem antes de ele partir.

Jessica põe a mão no meu ombro. "Eu continuo por aqui", diz. "Vamos nos acertar, ainda temos tempo." Ela aperta meu ombro, dá um tapinha no peito de Tobias e volta para a mesa.

"Eu queria poder levar você embora daqui", ele diz. Está olhando pela janela, não para mim. Para os táxis que passam e os últimos pedestres na calçada. Lá fora, a cidade continua como sempre, alheia ao que acontece entre nós.

"Para onde a gente iria?", pergunto.

"Talvez pegar a West Side Highway", ele diz. "Poderíamos caminhar na beira da água."

"Não é longe o suficiente", respondo. Fico bem ao seu lado.

"Tem razão. Acabamos nunca indo para o México, ou Paris, ou Guam", ele lembra. "Eu me arrependo disso."

"Não", digo. "Chega de arrependimentos."

Apoio a cabeça em seu ombro.

"O que vai acontecer comigo agora?", Tobias pergunta. Eu me viro para ele, e consigo ver o medo nos acercando.

"Não sei", digo. "Eu gostaria de saber. Mas não acho que você vai continuar onde está. Acho que você vai..." Minha voz fica embargada, e ele termina a frase por mim.

"Embora", diz.

Meu rosto está molhado. Ainda não parei de chorar. "Não temos mais tempo."

Ele assente. Seus olhos estão úmidos também. "Eu lamento muito", ele fala. "Nós éramos tão bons em ficar juntos, mas muito ruins em todo o resto."

"O resto também era importante", respondo. "Mais do que a gente imaginava."

Ele assente. "Será que era mesmo pra gente ter acabado aqui?", pergunta.

Penso na década que vivemos, que passou diante de nossos olhos esta noite.

"Não sei", respondo. "Mas foi o que aconteceu. Acho que é isso que importa agora."

Tobias segura meu rosto entre as mãos. “Eu te amo”, ele diz. “Sempre te amei.”

Feitos um para o outro. Era isso que eu pensava sobre nós. Que éramos feitos um para o outro. Que as estrelas se alinharam para nos aproximar. Nunca me ocorreu que nosso destino podia não ser para sempre.

Vinte e cinco

Aconteceu em um sábado. Eu estava em casa, lavando roupa. Tinha planejado visitar Jessica à tarde. Íamos sair para jantar mais cedo, porque ela disse que ficava muito cansada por volta da sete da noite. Eu finalmente ia ver sua barriga. Não via Tobias desde que ele me trouxera de volta para o apartamento, quase um mês antes.

Era início de dezembro, e o inverno se aproximava. As luzes de Natal se espalhavam pela cidade. As vitrines estavam enfeitadas na Bloomingdale's, na Bergdorf's e na Barneys. Sair para ver as decorações era algo que Jessica e eu costumávamos fazer juntas. Comprávamos chocolate quente na Serendipity, na Terceira Avenida, e depois saíamos pela cidade, passando pelas principais lojas de departamento. Às vezes íamos até a Lord & Taylor. Nós nunca entrávamos; estávamos duras, de qualquer forma. Só olhávamos as vitrines — os displays giratórios com confetes prateados e dourados, bengalas doces gigantes, paisagens invernais do país das maravilhas.

Eu estava dobrando uma camiseta de Tobias quando escutei. Era uma bem velha, da UCLA, de algodão macio, que eu usava para dormir. Ele não tinha levado embora, e quando Matty veio buscar mais coisas acabei não a incluindo na pilha deliberadamente.

Escutei pela janela fechada o som da freada, o impacto do metal e o barulho de vidro. Corri até lá e olhei para baixo. Alguém tinha sido atropelado, isso estava claro. Tinha gente gritando. Peguei uma blusa na cama e corri para a rua.

Mal tinha colocado o pé para fora quando o vi. Só uma perna, à direita do carro. Mas era o sapato dele. Um Dr. Martens velho, com a sola bem gasta. Eu o teria reconhecido em qualquer lugar. Corri.

Metade de seu corpo estava preso embaixo do carro. Mais tarde, o motorista diria que ele apareceu do nada, que praticamente se jogou na frente do carro. Seu corpo estava estraçalhado. O ombro tinha sido esmagado, a perna estava torcida em um ângulo impossível.

"Alguém chama uma ambulância!", gritei. Me abaixei ao lado dele. Seu corpo estava quente. Eu conseguia sentir seu cheiro, aquele de cigarro e mel. Coloquei as mãos em sua cabeça. "Está tudo bem, está tudo bem", murmurei sem parar. Baixei a cabeça até sua boca, para sentir se ele estava respirando. Não estava. É estranho o efeito da adrenalina. Uma necessidade de consertar, de corrigir. No momento do impacto, a gente pensa que é possível voltar atrás. O minuto anterior está tão próximo — por que seria tão difícil fazer o relógio voltar? Desfazer o que tinha acontecido em um piscar de olhos?

Fiquei assim, com o rosto perto do dele, até os socorristas chegarem. Foi difícil tirá-lo de baixo do carro, e mais de uma vez acabaram desconjuntando ainda mais seus membros quebrados, mas não desviei o olhar. Sentia que, se deixasse de observá-lo por um segundo que fosse, ele desapareceria para sempre. Que a única coisa que o mantinha ali era o fato de eu também estar presente. *Por favor. Fica comigo.*

Fui com ele na ambulância. Devo ter ligado para Jessica em algum momento, mas não me lembro. Lembro que ele foi levado às pressas para o centro cirúrgico. E lembro que estava do lado de fora quando, horas depois, o médico apareceu. *Sinto muito. Nós tentamos. O estado dele era muito grave.*

Ele nem chegou a acordar.

Jessica começou a chorar ao meu lado, mas eu me sentia vazia. Como uma sala branca vazia sem nem sinal de uma porta. Eu queria vê-lo, mas me disseram que não era permitido. *Apenas familiares.* Mas eu *era* a família dele. Tínhamos uma história de nove anos. Eu era sua única família, e ele precisava de mim. Mesmo que já não estivesse mais lá.

"Temos que ligar para os pais dele", Jessica falou. Eu só sabia que eles moravam em Ohio, e que uma vez nos levaram para um jantar no Olive Garden da Times Square.

Fiquei sentada na sala de espera do hospital. Não queria ir embora. Para onde eu iria?

Encontrei o número deles no meu celular. A mãe de Tobias atendeu no terceiro toque. Eu contei. Falei que tinha acontecido um acidente. Ela ficou repetindo que sentia muito, como se só eu tivesse sofrido uma perda. Talvez fosse sua forma de se preservar — acreditar que minha perda era pior, que o peso era maior para mim. Mais tarde descobri que ele nunca tinha contado a ela que estávamos separados.

Ela me disse que eles embarcariam no primeiro voo. Disse que precisávamos organizar o funeral. E ficou com a voz embargada nessa última palavra. Por acaso eu sabia onde comprar flores?

Me entregaram os pertences dele quando eu saí. Um saco plástico lacrado. Não consegui abrir.

"Precisamos ir", Jessica falou.

"Não", eu disse. "Não podemos. Não podemos deixar ele aqui." Comecei a gritar, os soluços sacudindo meu corpo. "Não podemos ir embora."

Jessica me abraçou, sua barriga de grávida entre nós. “Tudo bem”, ela disse. “Vamos ficar.”

Ficamos na sala de espera do hospital até três da manhã. Jessica me levou para casa e ficou comigo até os pais de Tobias chegarem. Quando vi o pai dele, desmoronei de novo.

A última coisa que Tobias me disse foi pelo telefone. “Você sabe minha senha no site da operadora de celular? Preciso trocar meu plano.”

Eu disse que ia procurar na minha pasta de senhas e que se encontrasse mandava para ele por mensagem.

“Sabby?”, ele perguntou.

“O quê?”

“Cinco.”

“Cansada”, eu falei, e desliguei.

23h47

Tobias e eu voltamos para a mesa. Audrey está ficando inquieta. Meu pai parece cansado. Conrad está bocejando, batucando o peito com os dedos como se estivesse se preparando para se sentar junto à lareira com um uísque e se deixar levar pelo sono.

"Eu agradeço a todos vocês", digo. "Não faço a menor ideia de como isso foi possível, mas fico feliz que tenha acontecido. Espero que tenha sido real."

"É real, sim", Jessica diz. "Meus peitos não mentem." Ela aponta para a camisa manchada de leite. "Além disso, por que não seria?"

Sinto meu coração se aquecer por ela, Jessica Bedi, minha melhor amiga. Em algum lugar lá no fundo, por trás dos expedientes de sua vida, existe uma mulher que ainda acredita em magia.

Tudo é possível.

"Eu ouso dizer que sim", Conrad concorda. "Já sinto a ressaquinha vindo."

"Não acho que você precise encontrar seu caminho de volta", Audrey diz a ele, parecendo preocupada de repente.

"Talvez", Conrad diz. "Mas ainda sei como chamar um táxi."

Olho ao redor da mesa. O jantar começou como um lembrete de tudo que eu tinha perdido, mas, olhando para eles agora, tudo que consigo sentir é uma gratidão profunda. Por um pai que nunca deixou de me amar, por uma estrela de cinema que deu graça a toda uma geração e nos proporcionou um jantar inesquecível, por um professor que desafia seus alunos e por uma melhor amiga que continua presente na minha vida.

"Obrigada", digo.

Conrad assente; Jessica limpa a garganta. Do outro lado da mesa, Audrey me joga um beijinho com toda delicadeza.

"Muito bem, vamos?", Audrey pergunta. "Já está na hora."

Olho para o relógio. Doze minutos para a meia-noite.

"Como vamos fazer isso?", pergunto a eles.

Conrad bate palmas. "Eu vou primeiro", avisa, afastando a cadeira, levantando e ajustando o paletó. "Espero receber um longo e-mail e talvez um telefonema esta semana. Vou ficar aguardando."

"Pode deixar. Obrigada por ter vindo", digo. "A gente precisava de você."

Ele volta sua atenção para Audrey, que não sabe se deve continuar sentada ou levantar. Conrad segura sua mão. "Foi um prazer imenso, sra. Hepburn", ele diz, beijando seus dedos de leve.

"Ah", ela diz. "Ah."

Conrad dá um aperto de mão a Robert, um tapinha nas costas de Tobias e faz uma pequena mesura para todos nós. Ele sai. Acompanhando sua silhueta até ela desaparecer na rua.

Em seguida é a vez de Audrey. Ela fica de pé e coloca o suéter Chanel sobre os ombros. "Ficou mais geladinho lá fora", ela diz. Parece nervosa agora, sem Conrad, e sinto uma onda de afeto por ela nesse momento, por ter ficado aqui até o final.

"Foi uma honra passar a noite em sua companhia", meu pai diz. Ele também se levanta. "Acompanho você até lá fora."

Ele me olha, e sinto vontade de dizer que não estou pronta, que isto deveria ser o começo, não o fim. Mas nosso tempo acabou.

"Me sinto grato por ter conhecido você hoje, Sabrina", ele diz. "Diria que estou orgulhoso, mas não colaborei em nada para isso."

"Pode dizer mesmo assim", respondo.

Ele vem até mim e se inclina até meu ouvido. "Minha filha", fala, como se estivesse saboreando a palavra.

Depois de me dar um beijo no rosto, desaparece pela porta com Audrey.

"E então sobraram três", Jessica diz.

"E três é demais", Tobias responde.

Jessica sorri. "Já estou indo", diz, olhando no relógio. "O bebê vai acordar daqui a quarenta e cinco minutos. Talvez eu chegue a tempo de amamentar." Ela põe a bolsa sobre o ombro. "Ligo para você mais tarde", diz. "Pode ser?"

"Pode. Ei, Jess?"

"Hã?"

"Obrigada por ter vindo."

"É a nossa tradição, não é?", ela responde. "Mas ano que vem vai ser difícil. Não sei se vamos conseguir superar este." Ela se vira para Tobias. "Se comporta, hein?" Jessica põe a mão no braço dele, com os olhos cheios de lágrimas.

"A esta altura, não tem como piorar." É uma piada, mas ninguém ri.

"A gente se vê", ela diz antes de sair, e o sininho da porta anuncia sua partida.

Estamos a sós.

Tobias se vira para mim. "Vamos andar um pouco?", pergunta.

Olho para o relógio. Temos seis minutos.

"Sim", digo.

Nós vestimos os casacos. Tobias segura a porta para mim e saímos para a noite. O banco de vime ainda está lá, perto da entrada. Queria que pudéssemos ficar sentados ali, mesmo que fosse só por cinco minutos.

"Eu acompanho você até o prédio", ele diz.

"Não vai dar tempo", respondo.

"Mesmo assim", ele diz, e seguimos para casa.

Vinte e seis

Demorei uma semana para abrir o saco de pertences pessoais que o hospital me entregou.

O funeral foi em um domingo, na igreja em Park Slope onde íamos nos casar. Os pais de Tobias compraram bagels, e Jessica escreveu e declamou um poema. Ninguém usou preto, porque na minha opinião não é isso que se deve fazer quando queremos celebrar uma vida. Mas eu estava de luto. Usei um vestido vermelho, que Tobias gostava, mas sentia a escuridão me dominar por dentro.

Matty foi e sentou ao meu lado, e depois andamos pela cidade por umas doze horas quase sem falar. Ele pareceu entender que não havia palavras que pudessem tornar o momento suportável e nem tentou dizer alguma coisa. Estávamos compartilhando aquele sofrimento, o que era importante. Me senti grata por isso. Por estar ao lado de alguém que realmente o conhecia.

Depois de tudo, sentei no chão do quarto e tirei o envelope de papel pardo de dentro do saco plástico. Respirei fundo e prendi o ar, como se estivesse prestes a mergulhar. Dentro estavam seu celular, sua carteira, seu cartão do metrô e uma caixinha de anel. Eu a abri imediatamente. Não era a aliança que eu devolvi a ele, mas a outra, a primeira que experimentei. A que foi motivo de briga entre nós, a que era muito cara. Ele tinha voltado à loja e comprado.

O pensamento que eu ainda não tinha coragem de enfrentar, porque parecia tão inflamável que poderia me consumir viva, era o que ele estava fazendo na esquina da minha casa. *Ele apareceu correndo do nada*, o motorista falou.

Tobias estava correndo para mim. E agora eu sabia que ele estava com aquela aliança no bolso. Isso só podia significar uma coisa: ele estava voltando para me reconquistar. Nosso tempo separados tinha acabado quando ele decidiu que queria ficar comigo.

Senti um aperto no coração. Eu tinha certeza de que morreria ao lado dele. E, naquele momento, foi o que eu quis. Porque a alternativa era cruel demais. Saber de forma tão inequívoca que ele estava voltando para tentarmos de novo. Que tinha juntado dinheiro, provavelmente durante nossa separação, e comprado aquela aliança, a primeira que vimos, com a intenção de fazer uma promessa ainda maior... Eu não sabia como viver com aquilo.

A aliança era linda, exatamente como eu lembrava. Eu a tirei da almofadinha de veludo e coloquei no dedo. Serviu perfeitamente. Era deslumbrante. Refletiu a luminosidade da tarde e a espalhou por toda parte — pelo piso de madeira, pelas paredes brancas. "É linda", falei em voz alta.

Não poderia explicar por que, naquele momento, pensei na antiga aliança e no que tinha acontecido com ela. Será que Tobias a tinha levado de volta para Ingrid e usado como parte do pagamento desta? Teria penhorado? Ainda estaria no meio das coisas dele? Matty ainda não tinha mexido em nada. Combinamos de fazer isso juntos, mas eu não sabia quando estaríamos prontos, se é que estaríamos algum dia. A ideia de dobrar suas calças, tirar suas camisas do cabide, mexer em suas pilhas de fotos? Parecia impossível.

Fiquei com a aliança no dedo o dia todo, e então a guardei de volta na caixinha e escondi embaixo da minha cama, onde costumava ficar a fotografia dele.

00h00

Tobias para. Estamos em silêncio há um tempo, e agora o momento chegou.

"Bem", ele diz. Ainda não chegamos na minha casa, mas tenho uma última pergunta. É o que quero perguntar desde o início da noite, desde que chegamos ao restaurante, quase quatro horas atrás. A única que restou. Mas eu já sei a resposta, não? Mesmo assim, preciso ouvir dele.

"Por que você estava lá naquele dia?"

Tobias suspira e balança a cabeça, como se já esperasse por isso, claro. "Eu ia te pedir de novo em casamento", ele diz. "Marcar a data. Ligar para os nossos pais. Fazer uma *grande* festa." Ele sorri e deixa escapar uma risadinha. "Eu queria ter a aliança certa."

Penso na briga que tivemos aquele dia na loja. No orgulho ferido dele. "Ela é linda mesmo", digo.

O rosto dele se ilumina sob o luar, e vejo de novo aquele garoto de dezenove anos na praia em Santa Monica. Lindo e teimoso, com a vida toda pela frente. "Mas não era a certa", ele diz. "Eu ainda não tinha entendido. A que escolhemos juntos? Aquela era a certa para nós."

"Sim", respondo.

"Você foi o grande amor da minha vida", ele diz. "Foi assim que aconteceu. Mas eu não vou ser o seu." Ele não parece triste, nem um pouco. "Não quero ser."

"Tobias", digo. Sinto meus olhos começarem a arder outra vez.

"Não para sempre. Certo?"

Eu concordo. "Certo."

"Toma", ele diz. "Queria que você ficasse com isso." Ele me entrega o relógio de bolso, o que havia sido do meu pai e que dei a ele.

"Foi um presente", eu digo.

"Ainda é", ele responde. "Como Robert disse, não posso levar comigo."

Tobias me envolve em seus braços. Apoio o rosto em seu pescoço, mas logo abro os olhos, porque não quero desperdiçar a chance de vê-lo mais um pouco.

"Tem uma coisa que eu não falei", ele diz. "Agora eu lembro."

Eu olho para ele. "O quê?"

Ele faz uma pausa para me observar. Seus olhos percorrem o meu rosto sem pressa. Como se tivéssemos todo o tempo do mundo.

"Você estava de regatinha vermelha e short jeans. Seu cabelo estava solto, e você não parava de agitar os braços. Pensei que fosse acabar batendo em alguém."

Fico pensando em nós dois naquela praia, sem saber como nossas vidas já estavam — e ficariam — entrelaçadas.

"É assim que eu vejo você", ele diz. Depois faz um breve aceno e vai embora.

Desse jeito. Não desaparece, simplesmente vai embora. Como se estivesse indo até o mercadinho da esquina comprar cigarros e um antiácido.

Vou para casa sozinha. Pego as chaves no fundo da bolsa,

onde também há um chiclete seco e um brilho labial. Subo a escada até meu apartamento. Está às escuras, e acendo uma das luzes. Tem um pedaço de bolo de aniversário sobre a mesa, e deixo a bolsa ao lado dos restos de cobertura e farelos de chocolate. Vou para o quarto.

Tiro a caixa de sapatos de baixo da cama e remexo nas coisas — fotos minhas com Tobias, as chaves do nosso antigo apartamento, programas de espetáculos da Broadway, canhotos de cinema, o Post-it amarrotado, a aliança — até achar o que estou procurando. Uma carta endereçada a mim e assinada por Alex Nielson, com data de 2006. Eu abro e leio.

Querida Sabrina,

É meio estranho escrever isto, mas imagino que deve ser ainda mais estranho para você que está lendo. Meu nome é Alex e sou sua irmã. Nós temos o mesmo pai, Robert Nielson, que me contou seu nome, e eu tentei encontrar você. É bem legal saber que você está na USC. Eu adoraria estudar lá um dia, mas não sei se conseguiria entrar. Ainda estou no oitavo ano, só que minhas notas não são muito boas. Mas eu adoro escrever.

Sou a filha mais velha. Tenho uma irmã mais nova, Daisy. A gente não se dá muito bem. Às vezes fico me perguntando se eu me daria bem com você, e às vezes tenho certeza de que preciso te conhecer. Acho que é por isso que estou escrevendo.

O papai fala sobre você. Não muito, mas às vezes. Quando eu pergunto, ele sempre responde. Disse que não vê você desde que você era pequena. Disse que não quer atrapalhar sua vida, e eu entendo, mas às vezes fico torcendo para ele mudar de ideia. Ele é um bom pai. Fico triste por você não saber disso.

Ele me contou uma história sobre você outro dia. Daisy estava reclamando do nome dela. Ela não gosta, diz que é muito de menininha. Ela está numa fase gótica agora — toda roqueira. Perguntou por que deram esse nome para ela e minha mãe (que se chama Jeanette) falou que era por causa das flores que estavam no quarto do hospital onde ela nasceu. Daisy acha essa história brega. Enfim, depois do jantar perguntei de você. Queria saber por que seu nome é Sabrina. Isso é estranho? A gente nem se conhece. Só vi fotos suas de quando você era bem pequena.

Ele me falou que adorava a Audrey Hepburn. Que era a atriz favorita dele. No primeiro encontro com a sua mãe eles foram ver Sabrina. *Assistiram ao filme em preto e branco no cinema, comendo pipoca e confeitos de chocolate — isso é a cara dele, aliás. Ele me contou os detalhes.* Sabrina *era o favorito dele dos filmes da Audrey. Ele achava legal a heroína não ser uma menina frágil — que ela sai em busca de seu lugar no mundo e fica mais forte por isso. Ele contou que quando te viu achou que era esse tipo de mulher que você seria.*

Aposto que ele estava certo.

Com amor,

Alex

P.S.: Se algum dia quiser me encontrar, é só me avisar. Papai prometeu me levar para ver uma exposição em Santa Monica na semana que vem. É na praia. De repente a gente pode se ver lá.

As histórias podem se desenrolar de muitas maneiras, e estou vendo que esta está começando a tomar forma. Algo diferente em um espaço onde só tinha uma coisa e mais nada. Ponho o relógio e o recibo do jantar na caixa, provas desta noite, desta década — do que foi e não é mais —, mas quando vou fechar, a tampa não encaixa. Tem alguma coisa presa na lateral. Levo os dedos até lá e encontro alguma coisa grudada. Quando a desprendo e seguro nas mãos, vejo que é a fotografia. Não a de Tobias, não a que perdi, mas a que ficamos olhando juntos naquele primeiro dia na praia. Do menino e da águia. Em uma impressão não muito maior que um cartão-postal.

Não fui eu que comprei, tenho certeza. Mas está aqui, na caixa de lembranças. O menino em pé com asas abertas atrás de si, os olhos fechados. Ele parece estar do mesmo jeito que dez anos atrás — voando.

Pego uma caneta. Viro a foto. Começo a pensar no que vem depois — em tudo que há para dizer. Vinte e quatro anos. Aniversários. Mudanças para o outro lado do país. Empregos e a vida. *Comece*, penso. *Comece*, *comece*, *comece*.

Querida Alex, escrevo. E pela primeira vez em muito tempo sei exatamente o que quero dizer.

Agradecimentos

Agradeço a James Melia, meu brilhante editor, que me proporcionou um pouso suave quando eu mais precisava e fez com que o processo de produção deste livro fosse maravilhosamente agradável. Obrigada por amar estes personagens tanto quanto eu.

A Erin Malone, minha incrível agente literária, por ser minha leitora mais questionadora e minha maior defensora. Pensei que nunca fosse encontrar alguém como você. Graças a deus encontrei. Aliás: você nunca vai se livrar de mim.

A Dan Farah, meu milagroso empresário. Você deixa tudo que eu faço maior e melhor. Este caminho é brutal e lindo. Obrigada por ficar do meu lado. Eu te amo.

A todo mundo da Flatiron Books, especialmente Bob Miller, Amy Einhorn e Marlena Bittner, por terem criado o lugar mais amoroso, caloroso, dinâmico e empolgante que Sabrina poderia ter. Vocês são demais.

A David Stone, meu agente televisivo, por sua crença inabalável e suas habilidades jedi. Obrigada por ser o adulto na sala.

A Laura Bonner, Caitlin Mahoney e Matilda Forbes Watson, por fazer com que este livro tenha chegado tão longe.

A Leila Sales, Lexa Hillyer, Jessica Rothenberg e Lauren Oliver pelo infinito incentivo, amor e conversas sobre a vida. O que seria de mim sem essa comunidade que criamos?

A Jen Smith, por ser a melhor guia para a vida adulta da cidade. Amo você.

A Melissa Seligmann, por me deixar brincar com nosso passado e me incentivar a honrar nosso presente.

A Hannah Gordon, melhor amiga e primeira leitora. Até hoje não sei o que fazer sem você.

A Raquel Johnson, por lidar com todas as ligações telefônicas e me amar com essa cegueira incrível. Amor, como nós temos sorte.

A Chris Fife e Bill Brown, que me acompanharam em um dos anos mais difíceis de minha vida com extraordinária compaixão. Vocês são meus anjos da guarda.

Ao elenco de *Famous in Love*, que me transformou em mãe pela primeira vez — nem em meus sonhos mais loucos pensei que eu teria tanta sorte.

Aos meus pais, que continuam sendo meu verdadeiro norte. É até bom eu ter continuado solteira por tanto tempo — caso contrário, não teria nada sobre o que escrever. E vocês fizeram seu trabalho de forma notável.

E, finalmente, a toda mulher que já se sentiu traída pelo destino ou pelo amor. Aguentem firme. Este não é o final da sua história.

TIPOLOGIA Adriane por Marconi Lima
DIAGRAMAÇÃO Vanessa Lima
PAPEL Pólen soft, Suzano S.A.
IMPRESSÃO Gráfica Bartira, agosto de 2022

A marca FSC® é a garantia de que a madeira utilizada na fabricação do papel deste livro provém de florestas que foram gerenciadas de maneira ambientalmente correta, socialmente justa e economicamente viável, além de outras fontes de origem controlada.